〈ウィトルウィウス的人体図〉レオナルド・ダ・ヴィンチ

Scheme of the proportions of the human body by Vinci, Leonardo da (1452-1519) Accademia, Venice, Italy/Photo Scala, Florence/Orion Press

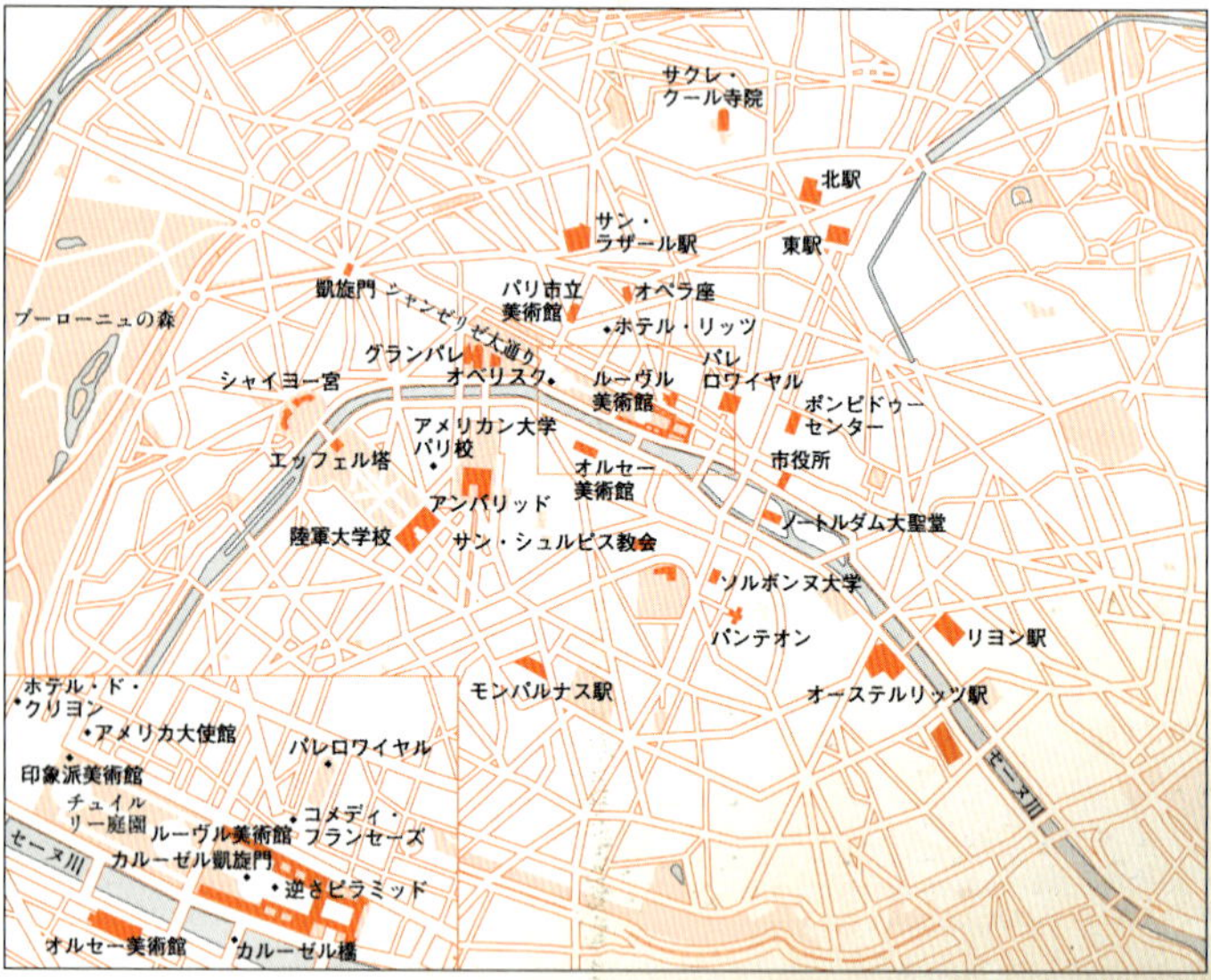

パリ市街図

The DA VINCI CODE

〈モナ・リザ〉レオナルド・ダ・ヴィンチ
Mona Lisa, ©1503-6 (oil on panel) by Vinci, Leonardo da (1452-1519) Louvre, Paris, France/Giraudon/Bridgeman Art Library/Orion Press

〈岩窟の聖母〉
レオナルド・ダ・ヴィンチ
右：ナショナル・ギャラリー版
The Virgin of the Rocks (with the Infant St. John adoring the Infant Christ accompanied by an Angel) ©1508 (oil on panel) by Vinci, Leonardo da (1452-1519) National Gallery, London, UK/ Bridgeman Art Library/Orion Press
左：ルーヴル版
Madonna of the Rocks, ©1478 (oil on panel transferred to canvas) by Vinci, Leonardo da (1452-1519) Louvre, Paris, France/Bridgeman Art Library/Orion Press

レオナルド・ダ・ヴィンチ自画像
Self-Portrait no.15741 by Vinci, Leonardo da (1452-1519) Biblioteca Reale (Royal Library), Turin, Italy/Photo Scala, Florence/Orion Press

ダ・ヴィンチ・コード（上）

ダン・ブラウン
越前敏弥＝訳

角川文庫 14157

Translated by Toshiya Echizen
Published in Japan by
Kadokawa Shoten Publishing Co., Ltd.

ブライズに……もう一度。
これまでにも増して。

事実

シオン修道会は、一〇九九年に設立されたヨーロッパの秘密結社であり、実在する組織である。一九七五年、パリのフランス国立図書館が〝秘密文書《ドシエ・スクレ》〟として知られる史料を発見し、シオン修道会の会員多数の名が明らかになった。そこには、サー・アイザック・ニュートン、ボッティチェルリ、ヴィクトル・ユゴー、そしてレオナルド・ダ・ヴィンチらの名が含まれている。

ヴァチカンに認可された属人区であるオプス・デイは、きわめて敬虔《けいけん》なカトリックの一派だが、洗脳や強制的勧誘、そして〝肉の苦行〟と呼ばれる危険な修行を実施していると報道され、昨今では論争を巻き起こしている。オプス・デイは、ニューヨーク市のレキシントン・アヴェニュー二四三番地に、四千七百万ドルをかけて本部ビルを完成させたばかりである。

この小説における芸術作品、建築物、文書、秘密儀式に関する記述は、すべて事実に基づいている。

《主な登場人物》

ロバート・ラングドン……ハーヴァード大学教授　宗教象徴学専門
ソフィー・ヌヴー……フランス司法警察暗号解読官
ジャック・ソニエール……ルーヴル美術館館長
アンドレ・ヴェルネ……チューリッヒ保管銀行パリ支店長
リー・ティービング……イギリス人の宗教史学者
レミー・ルガリュデ……ティービングの執事
マヌエル・アリンガローサ……オプス・デイの代表　司教
シラス……オプス・デイの修道僧
ジョナス・フォークマン……ニューヨークの編集者
ベズ・ファーシュ……フランス司法警察中央局警部
ジェローム・コレ……同警部補

プロローグ

パリ　ルーヴル美術館　午後十時四十六分

ルーヴル美術館の高名な館長、七十六歳のジャック・ソニエールが、グランド・ギャラリーのアーチ形通路をもつれる足で進んでいた。いちばん近くにある絵へどうにか駆け寄った。カラヴァッジョだ。ソニエールは金箔《きんぱく》の施された額をつかみ、名画を力まかせに手で引いて壁から剝《は》がした。そのままよろめいて仰《あお》向けに倒れ、キャンバスの下敷きになった。

予想どおり、そばですさまじい音を立てて鉄格子が落下し、グランド・ギャラリーの入口とのあいだをさえぎった。寄せ木張りの床が震える。遠くで警報が鳴りはじめた。

ソニエールはしばし横たわったまま息をあえがせ、状況をたしかめた。自分はまだ生きている。絵の下から這《は》い出し、洞窟《どうくつ》さながらの空間を見て、隠れる場所がないかと目で探した。

ぞっとするほど近くから声が響いた。「動くな」

手と膝《ひざ》を床に突いた恰好《かっこう》で、ソニエールは凍りつき、ゆっくりと首《こうべ》をめぐらせた。

わずか十五フィート先の鉄格子の向こうから、襲撃者の大きな影がこちらを見おろしている。長身で頑丈そうな体軀《たいく》を持ち、肌は蒼白《そうはく》で、髪も真っ白だ。ピンク色の虹《こう》彩《さい》が暗い赤の瞳孔《どうこう》を囲んでいる。その色素欠乏症の男はコートから拳銃《けんじゅう》を取り出し、鉄格子越しにソニエールへねらいをつけた。「逃げても無駄だ」どこのものとも判別しにくい訛《なま》りがある。「場所を教えろ」

「もう言ったじゃないか」無防備な体勢でひざまずいたまま、ソニエールは途切れがちな声で答えた。「なんの話か、さっぱりわからない」

「嘘をつくな」男は微動だにせず、ソニエールを見つめた。目に光が揺らめくだけだ。「おまえや同胞たちは、おのれに属さないものを隠し持っている」

ソニエールはアドレナリンが体を駆けめぐるのを感じた。なぜそれを知っている？

「今夜、正当な守護者がその地位を取りもどす。隠し場所を教えれば命は助けてやる」男はソニエールの頭に銃口を向けた。「命を懸けるほどの秘密なのか？」

ソニエールは息ができなかった。

男は首をかしげ、銃の照準を合わせた。

ソニエールは屈服のていで両手をあげた。「待ってくれ」ゆっくりと言う。「そちらの知りたいことを教える」そして、慎重にことばを選んで数語を発した。それは、繰り返し練習してきた嘘だった……心で唱えるたびに、実際に口にする機会がないことを祈っていたのだが。

ソニエールが話し終えると、襲撃者はわが意を得た顔で笑みを浮かべた。「よし。ほかのやつらが言っていたこととまったく同じだ」

ソニエールは驚きに打たれた。ほかのやつら？

「見つけたんだよ」大男はあざ笑った。「三人ともな。おかげでいまのおまえの話が嘘ではないと確認できた」

そんなはずはない！　自分と三人の参事の正体は、みずからが守る古代の秘密に劣らぬほど厳重に隠されている。死を前にした参事らが、厳密に定められた手順に従って同じ嘘を教えたのだとソニエールは直感した。それは取り決めのひとつだった。

襲撃者はふたたび銃のねらいを定めた。「おまえが死ねば、真実を知る人間はおれだけになる」

真実。その刹那《せつな》、ソニエールはこの状況が持つ真に恐るべき意味を悟った。もし自分が死んだら、真実は永遠に失われる。思わず、遮蔽物《しゃへい》を求めて這い進もうとした。
銃声がとどろき、腹に銃弾が突き刺さった瞬間、焼けつく熱さを感じた。激痛と闘いながら、前のめりに倒れる。少しずつ体をひねり、鉄格子の向こうの襲撃者に目を凝らした。

銃口はまっすぐ顔へ向けられている。

ソニエールは目を閉じ、おのれのなかで恐怖と後悔が激しく渦を巻くのを感じた。

弾切れを伝える硬い音が通路に響いた。

ソニエールはすばやく目をあけた。

男は楽しげな表情で銃に視線をやった。ふたつめの弾倉に手を伸ばしたが、考えなおしたらしく、ソニエールの腹を見て冷たく微笑んだ。「ここでの仕事は終わりだ」

ソニエールが下を向くと、白いリネンのシャツに銃弾の穴があいているのが見えた。胸骨の数インチ下あたりから、血が小さな円の形にしみ出している。胃だ。銃弾が心臓をそれたのは残酷ですらある。アルジェリア戦争に従軍したソニエールは、この恐ろしく緩慢な死を目撃した経験を持っている。腹腔《ふっこう》へ漏れ出した胃酸によって、中から徐々に体が侵されていき、死に至るまで十五分はかかるだろう。

「苦痛は善だ、ムシュー」男は言った。

そして立ち去った。

ひとりになったジャック・ソニエールは、ふたたび鉄格子を見つめた。自分を閉じこめているあの扉は、少なくともあと二十分は開かない。助けが来るころに、自分の命はもはやあるまい。だが、心をとらえていたのは、死そのものに対するよりもはるかに大きな恐怖だった。

秘密を伝えなくてはならない。

ふらつきつつ身を起こし、殺された三人の同志の姿を心に描いた。何代もの先人たちのことを……そして彼らに委《ゆだ》ねられた使命を思い起こした。

途切れることなくつづいた英知の鎖。

あれだけ警戒し……あれだけ安全策を施したにもかかわらず……いまや自分こそがただひとつ残された鎖の環《わ》、歴史上有数の秘密を守り伝える唯一の人間になってしまった。

ソニエールは震えながら、なんとか立ちあがった。

何か方法を見つけなくては……

グランド・ギャラリーに閉じこめられた身では、希望の光を託せる相手はこの世にひとりしかいない。ソニエールは絢爛《けんらん》たる監獄となった通路の壁に目を走らせた。世界で最も有名な数々の絵が旧友のごとく微笑みかけている気がする。

苦痛にぐらつきつつも、あらんかぎりの気力と体力を掻《か》き集めた。これから果たすべき重大なつとめのためには、残された時間を一秒たりとも無駄にできない。

1

ロバート・ラングドンはゆっくりと目を覚ました。

暗闇で電話が鳴っている——鈴のような、耳慣れない音色だ。ベッド脇のランプを手で探り、明かりをつけた。半眼のまま見まわすと、そこは壮麗に贅《ぜい》を尽くした寝室だった。ルイ十六世時代風の家具、フレスコ画の描かれた壁、そしてマホガニー製の巨大な四柱式ベッド。

ここはどこだ？

ベッドの支柱に掛けられたジャカード織りのバスローブに、文字を組み合わせたロゴが刺繡《ししゆう》されている——〈ホテル・リッツ・パリ〉。

少しずつ霧が晴れてくる。

受話器をとった。「はい」

「ムシュー・ラングドン？」男の声だ。「おやすみのところ申しわけありません」

朦朧《もうろう》としたまま、かたわらの時計に目を向けた。深夜の十二時三十二分。一時間しか眠っていないのに、わが身が死人のように感じられる。

「こちらは顧客係です、ムシュー。恐れ入りますが、ご来客がありまして。急用とのことですが」

頭がまだぼんやりしている。客？　こんどは、ベッド脇のテーブルに載ったしわくちゃのパンフレットを見つめた。

アメリカン大学パリ校が自信を持って開催する
ロバート・ラングドン（ハーヴァード大学宗教象徴学教授）と過ごす夕べ

ラングドンはうなった。今夜の講演が——シャルトル大聖堂の石造部分に隠された異教徒の象徴を分析するスライドショーだったが——聴衆のなかにいた保守分子の神経を逆なでしたのかもしれない。きっと宗教学者のたぐいがここを突き止めて、因縁をつけようというのだろう。

「すまないが」ラングドンは言った。「ひどく疲れているし、それに——」

「ですが、ムシュー」顧客係は引きさがらず、差し迫った口調で低くささやいた。

「いらっしゃっているのは、かなりの立場のかたのようでして」

それはそうだろう。宗教に関する絵画や象徴学を扱った著作のせいで、自分の名は美術界で心ならずも広く知られていたが、去年かかわったヴァチカンの事件が報道されて、知名度が百倍に跳ねあがった。それからというもの、尊大な歴史家や美術愛好家が引きも切らずに訪れる。

「もしよかったら」丁重さを失わないよう最善を尽くしながら、ラングドンは言った。「相手の名前と電話番号を聞き出して、火曜にパリを発《た》つまでにこちらから電話すると伝えてくれないか。よろしく頼む」顧客係が言い返す前に受話器を置いた。

身を起こし、そばに置かれた《客室サービスのご案内》を渋い顔で見た。表紙には誇らしげにこう書かれている――〝光の街で幼子のようにおやすみください。パリ・リッツで至福の眠りを〟。顔をあげ、壁の姿見にぼんやりと目をやった。見つめ返すその姿はまるで別人だ――髪が乱れ、やつれきっている。

休暇が必要だよ、ロバート。

この一年の重圧が自分にのしかかっているらしいが、鏡のなかにその証拠を見るのは気分がよくなかった。いつもなら眼光鋭い青い目も、今夜はどんよりと曇っている。頑丈な上顎《うわあご》やくぼんだ下顎を、濃い無精ひげが覆っている。こめかみには灰色のものが目立ち、濃く硬い黒髪のなかへ進入しつつある。白髪は学者らしい風貌《ふうぼう》を際立たせるだけだと女性の同僚たちはなだめるけれど、それを真に受けるほどおめでたくはない。

《ボストン・マガジン》誌の連中にこの姿を見せてやりたいものだ。

先月、なんとも気恥ずかしいことに、《ボストン・マガジン》誌は自分を〝市で最も注目度が高い人物トップテン〟のひとりに選出した。怪しげな名誉のおかげでハーヴァードの同僚たちからの冷やかしが絶えなかったものだが、今宵《こよい》、わが家から三千マイル離れた地の講演会場で、大いなる栄誉がふたたび頭をもたげて襲いかかった。

「ご来場のみなさん……」女性司会者が、パヴィヨン・ドーフィヌに設けられた講演会会場を埋めつくす聴衆に向かって告げた。「今夜のお客さまについては、ご紹介するまでもありません。数々の本の著者でいらっしゃいます。『知られざる宗派の象徴解釈』、『イルミナティの芸術』、『失われた表意文字言語』、そして文字どおり『宗教図像解釈学』。みなさんの多くが教科書として授業でお使いになっているものです」

聴衆のなかの学生たちが熱心にうなずいた。

「先生のご紹介にあたっては、すばらしい経歴をご説明しようと、わたくしは考えておりました。ですが……」司会者は壇上の席にいるラングドンに楽しげな視線を投げかけた。「ある出席者のかたが、先ほどわたくしに手渡してくださったものがあります。そちらのほうがずっと……注目度が高いとでも申しましょうか」

　そう言って《ボストン・マガジン》誌を掲げた。

　ラングドンはすくみあがった。いったいどこで手に入れたんだ？

　ばかげた記事からの抜粋を司会者が読みあげるにつれ、ラングドンは少しずつ椅子に身が沈んでいくのを感じた。三十秒がたち、聴衆がにやにや笑っているのに、司会者は終える様子がまったくない。「そして、昨年ヴァチカンのコンクラーベで果たした異例の貢献について、本人が公に語ろうとしないことで、注目度が上昇したのはまちがいない」そこで司会者は聴衆に問いかけた。「もっとお聞きになりたい？」

　拍手喝采《かっさい》が沸き起こった。

　だれかこの女を止めてくれ。ラングドンの願いもむなしく、司会者はふたたび記事に突入した。

「何人かの年下の受賞者のような典型的な美形とは同類に括《くく》れないだろうが、この四十代の大学教授には学者としての魅力以上のものが備わっている。魅惑的な風貌に加え、たぐいまれなほど落ち着いたバリトンの声がさらに人を引きつける。その声を女子学生たちは〝チョコレートみたいに甘く響くの〟と評している」

会場は爆笑の渦に包まれた。

ラングドンはぎこちない笑顔をつくろった。つぎに何が来るかはわかっている——〝ハリス・ツイードのハリソン・フォード〟とかなんとかいうくだらない一節だ。もうほとぼりも冷めたろうと高を括って、今夜もハリス・ツイードとバーバリーのタートルネックというていでたちでいたので、すぐに行動を起こすことにした。

「ありがとう、モニーク」ラングドンは言い、早々と立ちあがって司会者を演壇から遠ざけた。「《ボストン・マガジン》誌は作り話が実にうまい」聴衆に顔を向けて困惑のため息をついた。「ともあれ、この記事を提供した人を見つけたら、領事館に頼んで退去処分にしてもらいますよ」

聴衆は笑った。

「さて、みなさん。ご承知のように、わたくしが今夜ここに立っているのは、象徴の持つ力についてお話しするためで……」

ホテルの部屋で、電話の音がふたたび静寂を破った。

信じられない思いでうなり声を漏らしながら、ラングドンは受話器をとった。「はい?」

案の定、顧客係だった。「ムシュー・ラングドン、たびたび申しわけありません。先ほどお見えになったかたは、いまそちらのお部屋へ向かっていらっしゃいます。お知らせすべきだと思いまして」

ラングドンの眠気は吹っ飛んだ。「部屋へよこしたって？」

「お詫《わ》び申しあげます、ムシュー。しかし、こういうかたの場合……その筋に依頼するわけにもいきませんし……」

「はっきり言ってくれ。そいつは何者なんだ」

しかし、電話は切られた。

それとほぼ同時に、こぶしでドアを叩《たた》く重い音が聞こえた。

不可解に思いながら、ラングドンはベッドから抜け出した。サボヌリーのカーペットに爪先《つまさき》が深く沈むのを感じる。ホテルのバスローブをはおってドアへ歩み寄った。

「どなたですか」

「ミスター・ラングドン？　話があります」その男の英語には訛《なま》りがあった。鋭く権高な口調だ。「わたしはジェローム・コレ警部補。司法警察中央局《DCPJ》の者です」

ラングドンはとまどった。司法警察？　DCPJと言えば、アメリカのFBIにほぼ相当する。

チェーンを掛けたまま、ドアを数インチあけた。こちらを見ている顔は細長く血色が悪い。男は並はずれた瘦身《そうしん》で、いかめしい青の制服を身につけていた。

「入れてもらえますか」捜査官は尋ねた。

ラングドンは不安を覚えて躊躇《ちゅうちょ》した。男の濁った目がじっと観察している。「どういうご用件でしょう」

「警部《キャピテーン》が内密の件で、あなたの専門知識をお借りしたいと申しています」

「いまからですか」ラングドンは感情を抑えて言った。「夜半を過ぎていますよ」

「あなたが今夜、ルーヴル美術館の館長と面会する予定だったというのはほんとうですか」

困惑の度合いが急に高まった。今夜の講演が終わってから、名高いジャック・ソニエール館長と飲みにいく約束だったのに、ソニエールは姿を見せなかった。「ええ。どうしてご存じなんです」

「館長のスケジュール帳にあなたの名前がありました」

「何か不都合でも?」

捜査官は陰鬱《いんうつ》なため息をつき、わずかにあいたドアの隙間からインスタント写真を手渡した。

その写真を見て、ラングドンは全身をこわばらせた。

「これは小一時間前に撮られました。ルーヴルの館内です」

その異様な写真を目にした瞬間、ラングドンは嫌悪と驚きを覚えたが、それがすぐさま怒りに変わった。「だれがこんなことを！」

「あなたが象徴学におくわしいことと、館長に会う予定だったことを考え合わせて、われわれはこの件の解決のために力を貸していただけないかと思いついたわけです」

ラングドンは写真を見つめた。戦慄《せんりつ》に怯《おび》えが加わった。実に奇怪で身震いするほどの光景。見るうちに既視感に襲われて心を掻《か》き乱される。一年余り前になるが、ある遺体の写真を受けとって、同様に助けを求められたことがある。それから一日もしないうちに、ヴァチカン市国で危うく命を落としかけた。これはそのときの写真とはまったくちがうものの、筋書きの一部は気味が悪いほど似ている。

捜査官は腕時計を見た。「警部がお待ちしています」

ラングドンはほとんど聞いていなかった。目は写真に釘《くぎ》づけのままだ。「この記号。それに、奇妙なのは体の……」

「この恰好《かっこう》ですね」捜査官はことばを添えた。

ラングドンはうなずき、背筋に寒気《さむけ》を感じながら目をあげた。「他人の体にこんなことをするなんて、信じられない」

捜査官はきびしい顔つきになった。「そうではありません、ミスター・ラングドン。ここに写っている姿は……」いったんことばを切る。「ムシュー・ソニエールがご自分で作りあげたものです」

2

一マイル離れたところで、シラスという名の色素欠乏症の大男が、ブリュイエール通りにある褐色砂岩の豪奢《ごうしゃ》な建物の正門を重い足どりでくぐり抜けた。棘《とげ》のついた馬巣織《シリス》りのベルトが太腿《ふともも》の肉をえぐるが、神への責務を果たした満足感で胸が躍っていた。

苦痛は善だ。

建物にはいると同時に、赤い瞳《ひとみ》でロビーを見渡した。だれもいない。ほかの信徒を起こさないよう足音を忍ばせて、階段をのぼった。ここでは施錠が禁じられているので、寝室のドアはあいている。室内へ進んでドアを閉めた。

部屋は簡素だ──硬材の床、マツ材の戸棚、隅にはベッドがわりに使っているキャンバス地のマット。今週はここに宿を借りる身だが、ニューヨーク市にある同様の宿舎で暮らすようになってもう何年にもなる。

神は自分に住まいと生きる目的を与えてくださった。

ようやく今夜、その恩に少し報いることができたとシラスは思っていた。早足で戸棚に歩み寄り、最下段の抽斗《ひきだし》に隠しておいた携帯電話をとって、相手を呼び出した。

「はい」男の声が答えた。

「導師、いまもどりました」

「報告を」声が命じた。連絡を受けたせいか機嫌がよさそうだ。

「四人とも逝きました。三人の参事も……総長も」

ほんの一瞬、祈りを唱えるくらいの間《ま》があった。「すると、情報を手に入れたんだな」

「四人が同じことを言いました。別々に」

「それを信じたのか」

「全員が一致したのですから、偶然とは思えません」

息づかいが荒くなった。「よくやった。音に聞く秘密主義は手ごわいと危惧《きぐ》していたのだが」

「死への恐れは人を動かすものです」

「では、要点を聞かせてくれ」

四人から聞き出した話が相手に衝撃をもたらすとシラスは確信していた。「全員が〝クレ・ド・ヴット〟の存在を認めました……伝説の要石《キー・ストーン》です」

電話の向こうで息を呑《の》むのが聞こえ、導師の驚きが感じとれた。「キー・ストーン。まさしくわれわれの予想どおりだ」

言い伝えによると、その組織はある地図を石で作ったらしい。それが〝クレ・ド・ヴット〟――キー・ストーン――であり、その石板には、きわめて重要な秘密の隠された場所が記されている。そもそも、組織はその秘密を守るためにこそ存在しているという。

「キー・ストーンが手にはいれば、目標まであと一歩だ」導師は言った。

「考えておられる以上にわれわれは近くにいます。キー・ストーンはここパリにあるのです」

「パリ？　まさか。それではあまりに安易だ」

シラスは今夜のいきさつを伝えた……死を前にした四人の男たちが、おのれの罪深き命を買いもどそうとして、なりふりかまわず機密を打ち明けた様子を。全員がまったく同じ話をした。キー・ストーンはパリの古い教会――サン・シュルピス教会のしかるべき場所に巧妙に隠してある、と。

「神の家に？」導師は声を荒らげた。「ふざけた話だ！」

「何世紀ものあいだ、われわれを欺きつづけてきたのです」

勝利を全身に行き渡らせるかのように、導師はだまりこんだ。ようやくこう言った。

「おまえは神へのつとめを立派に果たした。われわれはこのときを長年待ちわびていた。石を取り返しなさい。今夜、いますぐに。いかに大事なものかはおまえも承知だろう」

計り知れない価値があるのはわかっていたが、シラスはそれを無茶な指示だと思った。「しかし、あの教会は要塞《ようさい》そのものです。特に夜間は。どうやってはいればいいのですか」

大きな権力を持つ人間特有の自信に満ちた口調で、導師は段取りを説明した。


電話を切ったとき、先行きを思って身が震えた。

一時間ある、とシラスは自分に言い聞かせた。神の家へ忍びこむ前に、欠かせない贖罪《しょくざい》をおこなう時間を導師が与えてくれたのがありがたかった。きょうの罪を魂から浄《きよ》めなくては。きょう犯した罪には神聖な目的があった。神を穢《けが》す者との戦いは、はるか昔からつづいている。赦《ゆる》しは得られるはずだ。

それでもなお、赦罪にはなんらかの贖《あがな》いが必要だとシラスは承知していた。

ブラインドをおろし、裸になって部屋の中央でひざまずいた。うつむいて、太腿を締めつけるシリスのベルトを調べた。〝道〟を心から奉ずる者はみなこの装具――鋭い金属の棘で肉を刺し、キリストの受難をつねに思い起こさせる革帯――を身につけている。このベルトがもたらす痛みは、肉欲を打ち消す役にも立つ。

きょうはもう、所定の二時間よりも長くこれを装着していたが、いつもとは事情がちがう。留め金をつかんで、穴ひとつぶんきつく締めなおした。棘がさらに深く食いこみ、思わず身震いする。シラスはゆっくりと息を吐き出しながら、痛みによる浄化の儀式を味わった。

苦痛は善だ。すべての師の師であるホセマリア・エスクリバー神父の聖なる真言を小声で繰り返した。エスクリバー神父は一九七五年に逝去したが、知恵は生きつづけ、そのことばは、世界じゅうに数多く存在する忠実な信徒が床にひざまずいて、〝肉の苦行〟として知られる神聖な修行を実践する際に、いまもって口ずさまれている。

シラスは足もとの床にあるていねいに巻かれた縄に注意を移した。苦行。結び目に、乾いた血がこびりついている。おのれの苦悩を浄めたいと切に願いつつ、すばやく祈りのことばを唱えた。そして縄の端をつかんで目を閉じ、肩へ強く振りおろした。結び目が背中を叩《たた》く。ふたたび鞭《むち》を振り、肉を痛めつけた。繰り返し繰り返し、責めつづけた。

カスティーゴ・コルプス・メウム——わが身を打ち叩け。

ついに、シラスは血が流れはじめたのを感じた。

3

ひんやりとした四月の空気が車窓から吹きつける。シトロエンZXはヴァンドーム広場を横切って南へと走った。助手席にいたロバート・ラングドンは、パリの街に身を貫かれる思いを味わいながら、考えをまとめようとつとめていた。すばやくシャワーを浴びてひげを剃《そ》り、そこそこ見られる姿にはなったものの、不安はほとんど鎮まっていない。館長の遺体の恐ろしい絵図が頭に焼きついている。

ジャック・ソニエールが死んだ。

その死には深い喪失感を覚えずにいられない。世間ぎらいと噂されていたとはいえ、芸術へ傾ける情熱は広く知られており、だれからも尊敬される人物だった。プッサンとテニールスの絵に秘められた暗号に関するソニエールの著作は、ラングドンも授業の教材として好んで使っている。今夜の面会をとても楽しみにしていたのに、姿を現さなかったのでがっかりしていたところだった。

ふたたびソニエールの遺体のありさまが脳裏に浮かぶ。ご自分で作りあげた、だと？　ラングドンは窓の外に顔を向け、残像を振り払おうとした。

街はまさに静寂を迎えようとしている――アーモンド菓子の売り子は屋台をたたみ、レストランのウェイターはごみ袋を道端へ出す。ジャスミンの花香るそよ風に包まれ、深夜の恋人たちはぬくもりを求めて体を寄せ合う。シトロエンは耳障りな二音のサイレンを鳴らしてナイフのごとく車の群れを切り裂き、混沌《こんとん》のなかを堂々と抜けていった。

「あなたが今夜まだパリにいらっしゃると知って、警部は喜んでいました」ホテルを出て以来はじめて、コレ警部補が口をきいた。「ありがたい偶然でしたよ」

ラングドンにとってはけっしてありがたくないし、そのうえ偶然などという考え方はあまり信頼していない。共通点のなさそうな図案とイデオロギーとの秘められたつながりを長年研究してきた者からすれば、世界とは歴史と事件が複雑にからみ合った蜘蛛《くも》の巣にほかならない。ハーヴァードの象徴学のクラスでは、よくこう説いていた――結びつきは目に見えないかもしれないが、表層のすぐ下にかならずひそんでいる。

「わたしの滞在先はアメリカン大学パリ校から聞いたんですね」ラングドンは言った。

運転席のコレはかぶりを振った。「国際警察《インターポール》です」

なるほど、インターポールか。そう言えば、ヨーロッパの全ホテルがチェックインの際、さりげなくパスポートの呈示を求めるのは、単なるかしこまった慣習ではなく、法律で定められているからだ。インターポールはヨーロッパ内ならいつであろうと、だれがどこに泊まっているかを正確に特定することができる。自分がホテル・リッツにいることなど、五秒で知られたにちがいない。

シトロエンが速度を増しながら街を進んでいくと、はるか右方に、イルミネーションに照らされたエッフェル塔の天を突く麗姿が現れた。それを見て、ヴィットリアを思い出した。半年ごとに世界じゅうのロマンチックな名所で会おうと決めた、一年前のたわいもない約束が胸によみがえる。エッフェル塔はその候補地になってもおかしくあるまい。悲しいかな、ヴィットリアと最後にキスを交わしたのは一年以上も前、騒々しいローマの空港でのことだった。

「あっちのほうは体験済みですか」コレがこちらを見て尋ねた。

ラングドンは顔をあげた。何か聞き誤ったにちがいない。「はい？」

「すばらしいでしょう？」コレはフロントガラス越しにエッフェル塔を指し示した。「もう体験しました？」

ラングドンは目玉をくるりと動かした。「いえ、まだのぼっていません」

「フランスの象徴ですよ。完璧《かんぺき》だと思いますね」

ラングドンは上の空でうなずいた。象徴学者がよく言うことだが、フランスが――

男らしさを重んじ、女好きで、ナポレオンやピピン短軀王《たんく》といった小柄で臆病《おくびょう》な指導者を有した国が――高さ千フィートの男根を国家の象徴としたのは、似つかわしいことこの上ない。

シトロエンはリヴォリ通りとのT字路を右折し、名高いチュイルリー公園――パリ版セントラル・パーク――の北側の入口にあたる木深い一角を横に見て進んでいく。〝チュイルリー〟の名はここに咲く何千株ものチューリップに関係があると思いこむ観光客も多いが、語源から言えばロマンチックとはほど遠い。この公園はかつて、パリの有名な赤い屋根瓦《チュイル》の原料にするために業者が粘土を掘り出した、広く荒れ果てた採掘場だったのだ。

何度か曲がって、人気《ひとけ》のない公園にはいると、コレはダッシュボードの下に手を伸ばしてけたたましいサイレンを消した。ラングドンは息をつき、にわかに訪れた静けさを味わった。ヘッドライトが砂利道を青白く照らし、がたつくタイヤが眠りを誘うリズムを刻んでいる。ラングドンはつねづねチュイルリーを聖なる地と考えていた。ここはクロード・モネが構成と色彩の実験をおこなった庭園であり、まさに印象派運動が生まれるきっかけとなった場所だ。しかし今夜は凶事をにおわせる異様な雰囲気が漂っている。

シトロエンは公園中央の通りを東へ向かった。まるい池の外べりをまわって、閑散とした道を横切ると、その先に方形の庭園がひろがっていた。巨大な石のアーチが見える。

カルーゼル凱旋門《がいせんもん》。

かつてここで数々の式典が催された歴史はさておき、美術愛好家たちはまったく別の理由でこの地に敬意を払っている。このあたりからは、世界で最もすばらしい美術館のうちの四つが東西南北にひとつずつ見える。

車の右の窓からセーヌ川の南にあたるアナトール・フランス河岸を望むと、荘厳にライトアップされた古い駅舎のファサードが目に留まる――かのオルセー美術館だ。左へ視線を向けると超近代的なポンピドゥー・センターの屋根がかすかに見え、その下には近代美術館がはいっている。後方、つまり西の木々の向こうには古代エジプトのラムセス二世のオベリスクがそびえ、そのかたわらにジュー・ド・ポーム国立ギャラリーがある。

そして正面、つまり東側の門のすぐ先に見えるルネッサンス様式の石の宮殿こそ、世界で最も有名な美術館だ。

ルーヴル美術館。

この壮大な建造物全体を一望にとらえようとするわが目のむなしい試みに、ラングドンはいつもながらかすかな驚きを覚えた。美術館は圧倒的なまでに広い敷地を占め、堂々たるファサードが城砦《じょうさい》のごとくパリの空を切りとっている。巨大な馬蹄形《ばていけい》をしたルーヴルはヨーロッパでいちばん水平方向に長い建物であり、エッフェル塔を寝かせて三つ並べても足りないほどだ。美術館の各棟に囲まれた百万平方フィートの広場でさえ、ファサードの大きさが漂わせる風格にはかなわない。ラングドンはルーヴル全体を隅々まで歩いたことがあるが、信じられないことにそれは三マイルもの道のりだった。

この美術館に展示された数万の作品をすべて鑑賞しようとすれば約五週間かかるそうだが、旅行者のほとんどは省略コースをとる。ラングドンはそれを〝ルーヴル・ライト〟と呼んでいた。最も有名な〈モナ・リザ〉、〈ミロのヴィーナス〉、〈サモトラケのニケ〉の三点を観るために、館内を全速力で駆け抜けるわけだ。かつてコラムニストのアート・バックウォルドが、この三大傑作を五分五十六秒で観てまわったと誇らしげに書いていた。

コレは携帯用無線機を取り出し、早口のフランス語でまくし立てた。「ムシュー・ラングドンが到着しました。あと二分でそちらへ」

聞きとれないが、雑音混じりの応答が返ってきた。

コレは無線機をしまい、ラングドンに向きなおった。「正面玄関で警部がお迎えします」

広場の自動車進入禁止の標識を無視し、コレはアクセルを踏みこんで一気に縁石を乗り越えた。ここからはルーヴルの正面玄関がはっきり見える。離れていても、その堂々たる姿を見まがうことはない。それは、ライトアップされた噴水をともなう七つの三角形の池に囲まれている。

ピラミッド。

ルーヴルの新しい玄関は美術館そのものと同じくらい有名になった。物議を醸したネオモダンのガラスのピラミッドは、中国生まれのアメリカ人建築家I・M・ペイの設計によるもので、ルネッサンス風の前庭の威厳が損なわれたと感じる伝統主義者たちから、いまだに嘲笑《ちょうしょう》されている。ゲーテは〝建築は凍れる音楽である〟と語ったというが、ペイを批判する者はこのピラミッドを〝黒板を引っ掻《か》く爪〟と評した。一方、進歩的な支持者たちは、ペイによる高さ七十一フィートの透明なピラミッドを古代建築と近代的手法のみごとな融合と見なし、古きと新しきを鮮やかに結びつけて、ルーヴルをつぎの千年紀へと導くものだと絶賛した。

「あのピラミッドをどう思います?」コレが訊《き》いた。ラングドンは顔をしかめた。フランス人はアメリカ人にこの質問をするのが好きらしい。もちろん、これは狡猾《こうかつ》な質問だ。ピラミッドが好きだと言えば趣味の悪いアメリカ人だと思われるし、きらいだと答えればフランス人への侮辱になる。

「ミッテランは大胆な人物でしたね」ラングドンはどちらとも聞こえるように答えた。ピラミッドの制作をあと押しした故フランソワ・ミッテラン大統領は〝ファラオ・コンプレックス〟だったと言われる。独力でパリをエジプトのオベリスクや美術品や工芸品で満たしたミッテランは、あまりにもエジプト文化を熱愛したため、いまだに国民から〝スフィンクス〟と呼ばれている。

「警部のお名前は?」ラングドンは話題を変えた。

「ベズ・ファーシュです」コレはピラミッドの入口へ車を寄せた。「われわれは〝ル・トーロー〟と呼んでいますが」

ラングドンはちらりと横を見た。フランスの男はみな、神秘的な動物の愛称を持っているのだろうか。「上司を〝牡牛《おうし》〟呼ばわりするんですか」

コレは眉《まゆ》をあげた。「フランス語がずいぶんおできになるのですね、ムシュー・ラングドン」

フランス語はからきしだめだが、黄道《こうどう》十二宮にまつわる図像学ならよく知っている。金牛宮《トーラス》と言えばかならず牡牛座を指す。世界じゅうどこでも、占星術の象徴は同じだ。

コレは車を停め、ふたつの噴水のあいだに見える、ピラミッド側面の大きな扉を指さした。「あそこが入口です。それでは、ムシュー」

「わたしひとりで行けと？」

「わたしの任務はあなたをここまでお連れすることです。ほかの仕事がありますので」

ラングドンはため息をつき、車をおりた。しかたがない。

コレはエンジンを吹かして走り去った。

ひとり立ちつくしてテールライトを見送りながら、ラングドンは思った。いまなら考えなおして広場から退散し、タクシーをつかまえてホテルのベッドにもどることもできる。だが、そんな真似をしてもろくな結果にならないと、何かが告げていた。

噴水のしぶきに向かって歩いていくうち、別世界への目に見えぬ境界線を踏み越えている気がして不安が募った。夢を見ているかのような今夜の出来事が脳裏によみがえる。二十分前はホテルの部屋で眠っていた。いまはスフィンクスの建てた透明なピラミッドの前で、牡牛と呼ばれる警察官を待っている。

サルバドール・ダリの絵のなかに囚《とら》われているのだろうか。

ラングドンは巨大な回転ドアへと進んだ。その向こうのロビーはほの暗く、人の姿はない。

ノックすべきか？

ハーヴァードの名にし負うエジプト学者のなかに、返事を期待してピラミッドの扉をノックした者などいるだろうか。ガラスを叩《たた》こうと手をあげたとき、暗がりの下方から人影が現れ、カーブした階段をのぼってきた。ずんぐりして浅黒い、ネアンデルタール人を思わせる男だ。色の濃いダブルのスーツが、広い両肩に引っ張られている。頑丈そうな脚を動かして、威厳たっぷりに近づいてくる。携帯電話で話していたが、たどり着くころには通話を終え、ラングドンに中へはいるよう手招きした。

「わたしはベズ・ファーシュ」ラングドンが回転ドアを押して進むと、男は言った。

「司法警察中央局の警部だ」

ラングドンは手を差し出した。「ロバート・ラングドンです」

ファーシュの特大の手が、ものすごい力でラングドンの手を握った。

「写真を見ました」ラングドンは言った。「お聞きしたところでは、ジャック・ソニエールが自分であんな――」

「ミスター・ラングドン」ファーシュの漆黒の瞳《ひとみ》が見据える。「きみが写真で見たのは、ソニエールがしたことのほんの手はじめにすぎない」

ベズ・ファーシュ警部は怒れる牡牛のごとく、広い肩をそびやかし、顎《あご》を胸もとまで強く引いていた。黒っぽい髪を油で後ろになでつけているので、中央が矢じりのようにとがった生え際がひどく目立ち、額が戦艦の船首よろしく突き出している。警部が歩くと、暗い色の瞳が前方の床を焦がさんばかりの明晰《めいせき》さを放つ。何事にも動じない厳格さが見てとれる。

ラングドンは警部に従って、ガラスのピラミッドの下にある地下の広場へと、名高い大理石の階段をおりていった。途中、マシンガンを持った警察官ふたりのあいだを通り抜けた。その意味するところは明らかだ。今夜はファーシュ警部の許しがなければ、何者も出入りできない。

地下へ向かいながら、ラングドンはこみあげる恐怖と闘った。ファーシュの態度が歓迎とはほど遠いうえ、ルーヴルそのものがこの時間は墓地に等しい空気を醸し出している。階段は暗い映画館の通路のように、一段ごとに埋めこまれた足元灯のほの明かりに照らされている。自分の足音が頭上のガラスにこだまする。目をあげると、透明な屋根の外側に、微光でかすむ噴水のしぶきが見えた。

「どう思うね」いかつい顎を上に向けて、ファーシュが尋ねた。

ラングドンはゲームに飽き、ため息をついた。「ええ、みごとなピラミッドです」

ファーシュはうなり声をあげた。「パリの顔につけられた傷だ」

ストライク・ワン。ラングドンはこの相手の扱いにくさを悟った。ファーシュが知っているかどうかは定かでないが、ミッテラン大統領の明確な指示により、このピラミッドにはぴったり六百六十六枚のガラス板が使われている——666は悪魔の数字だとする陰謀論者たちのあいだで、この奇妙な指示はつねに議論の的となってきた。

その話題を持ち出すのはやめよう、とラングドンは思った。

さらにおりていくと、開けた空間が暗がりから徐々に全貌《ぜんぼう》を現した。地下五十七フィートの深さに新しく造られた七万平方フィートのロビーは、果てしなくひろがる洞《どう》窟《くつ》のようだ。地上にあるファサードの蜂蜜《はちみつ》色の石材に合わせて、暖色の大理石を用いたこの地下ホールは、ふだんなら日の光と観光客があふれて、活気に満ちている。しかし今夜のロビーは暗く静まり返り、空間全体に冷たい地下墓所の雰囲気が漂う。

「ところで、美術館の正規の警備員は？」ラングドンは尋ねた。

「ほかの場所へ移した」ファーシュは答えた。「自分のチームの信頼性を疑われたとでも言いたげな口ぶりだ。「今夜、何者かが警備の隙を突いて侵入したのはまちがいない。夜間職員全員をシュリー翼に集めて、事情聴取をしているところだ。今夜はかわりにわたしの部下が警備についている」

ラングドンはうなずき、ファーシュに遅れまいと歩を速めた。

「ジャック・ソニエールとはどういった知り合いだ」

「実は、まったく知りません。面識がないんです」

ファーシュは驚いたように見えた。「今夜はじめて会う予定だったのか」

「ええ。アメリカン大学での講演のあとにパーティーで会う約束をしていたんですが、向こうが姿を見せなくて」

ファーシュは小さな手帳に何やら走り書きをした。歩きながら、ルーヴルのもうひとつのピラミッド——あまり知られていないほう——がラングドンの目にはいった。逆さピラミッド《ラ・ピラミッド・アンヴェルセ》——上から鍾乳石《しょうにゅうせき》のように逆さ吊《づ》りになった巨大な天窓である。ファーシュに導かれ、短い階段をのぼってアーチ形のトンネルの入口に着くと、上に〝DENON〟《ドゥノン》と記されていた。ドゥノン翼はルーヴルの三大棟のなかで最もよく知られている。

「今晩会おうと言いだしたのはどっちだ」ファーシュが唐突に尋ねた。「きみか、ソニエールか」

どことなく奇妙な質問だ。「ミスター・ソニエールです」ラングドンはトンネルを進みながら答えた。「二、三週間前にあちらの秘書がEメールをくれましてね。わたしが今月パリで講演をすると聞いて、滞在中に何か話し合いたいことがあるとか」

「何を話し合う」

「わかりません。美術についてでしょうね。わたしたちは同じようなものに関心を寄せていましたから」

ファーシュはいぶかしげな顔をした。「面会の目的がわからない？」

わからなかった。あのときは不思議に思ったが、詳細を問い詰めるのも気が引けた。高名なジャック・ソニエールは人ぎらいとしても知られ、なかなか他人と接触したがらないと言われていた。ラングドンとしては、会う機会が得られるだけでありがたかった。

「ミスター・ラングドン、被害者はきみと会う予定だった夜に殺されたんだよ。何を話したかったか、せめて想像くらいつかないのか。手がかりになるかもしれない」

的を絞った質問が気に障った。「ほんとうに心あたりがないんです。わたしも尋ねませんでした。ともかく、連絡をいただいただけで光栄でしたから。わたしはミスター・ソニエールの研究に心酔していました。著書を教材にさせてもらうこともよくあります」

ファーシュは手帳にその事実を書き留めた。

ふたりはドゥノン翼の入口をなすトンネルの中ほどにいた。はるか前方に二基の上りエスカレーターが見えるが、どちらも止まっている。

「館長と共通の関心を持っていたということだが」

「はい。実は昨年、わたしはある本の原稿にかかりきりだったんですが、それはミスター・ソニエールの主たる専門分野を扱ったものでしてね。だから、脳みそを拝借できるのを楽しみにしていました」

ファーシュが顔をあげた。「なんだって？」

どうやら英語の言いまわしが通じなかったらしい。「その主題について、意見をうかがうのを楽しみにしていたんですよ」

「そうか。その主題というのは？」

ラングドンはどう説明したらよいのかわからず、口ごもった。「大ざっぱに言って、女神崇拝の図像学に関する本です――つまり、神聖なる女性という概念と、それに関する美術や象徴について」

ファーシュは肉づきのいい手で髪を梳《す》いた。「で、ソニエールはその分野に精通していたのか」

「だれよりもです」

「なるほど、わかった」

ファーシュはまったくわかっていまい。ジャック・ソニエールは女神の図像学の第一人者だった。豊饒《ほうじょう》神や女神崇拝や魔術信仰や聖女にまつわる資料研究に情熱を注いでいたばかりではない。館長として在任した二十年間を通して、女神にゆかりのある美術品をルーヴルに集め、世界最大のコレクションを作りあげている。デルフィにあるギリシャ最古の女神神殿から運んだ両刃の斧《ラブリュス》。神々の使者ヘルメスの黄金の杖《つえ》。古代エジプトで悪魔退散の儀礼に使った打楽器シストルム。天使の立像にも似た、エジプトの女神イシスの護符は何百とある。息子ホルスを抱くイシスの像に至っては、数えきれないほどだ。

「おそらくソニエールはきみがその原稿を書いていると知っていたんだろう」ファーシュが言った。「それで、執筆に協力するために会おうとした」

ラングドンは首を横に振った。「その本についてはまだだれも知りません。いまのところ草稿の段階で、担当編集者にしか見せていませんから」

ファーシュは口をつぐんだ。

ラングドンは、ほかのだれにも原稿を見せていない理由にはあえてふれなかった。三百ページに及ぶその本――仮題は『失われた聖女の象徴』――では、従来の宗教図像学に型破りの解釈を加えており、物議を醸すにちがいない。

動いていないエスカレーターのそばまで来て、ラングドンは足を止めた。ファーシュの姿が横から消えている。振り返ると、数ヤード後ろの高齢者・障害者用エレベーターの前にいた。

「エレベーターを使う」扉が開いたとき、ファーシュは言った。「知ってのとおり、展示室まで歩くのはかなり骨が折れる」

エレベーターに乗ればドゥノン翼の上階までの長い道のりが短縮されるのは承知しているが、ラングドンは動けずにいた。

「どうした?」ファーシュは苛立《いらだ》たしげに扉を押さえている。

ラングドンは大きく息をつき、吹き抜けのエスカレーターを未練がましく見あげた。なんともないさ、と自分に嘘をつき、重い足どりでエレベーターに向かった。子供のころ、使われていない井戸に落ちたことがある。せまいなかで水に浸《つ》かったまま何時間も救出を待ち、瀕死《ひんし》の思いを味わった。それからというもの、閉ざされた空間――

エレベーター、地下鉄、スカッシュ・コートなど――がこわくてたまらない。エレベーターはきわめて安全な機械だと繰り返し自分に言い聞かせるが、本心では納得できない。出口のないシャフトに宙ぶらりんの、ちっぽけな金属の箱じゃないか！　息を凝らしてエレベーターに乗り、扉が閉まるや、例のごとくアドレナリンが噴き出すのがわかった。

二階ぶんあがるだけだ。十秒ですむ。

エレベーターが動きはじめると、ファーシュは言った。「ソニエールとは話をしたこともないのかね。連絡をとったことも、郵便で何かを送り合ったこともないと？」

また奇妙な質問だ。ラングドンはかぶりを振った。「ありません」

ファーシュはその事実を頭のなかにメモするかのように首をひねった。そして、何も言わずにクロムの扉をまっすぐ見据えた。

のぼっていく途中、ラングドンは四方の壁以外の何かに集中しようとつとめた。光沢のある扉に、警部のネクタイ留めが映っている――銀の十字架に、十三個の黒いオニキスが埋めこまれたものだ。これにはいささか驚かされた。この象徴はクルクス・ゲンマタ――十三個の宝石がついた十字架――と呼ばれるキリスト教の表意記号で、キリストと十二使徒を表す。フランス司法警察の警部がこれほどあけすけに自分の宗教を認めているとは意外だった。しかし、ここがフランスであることを思い出した。この国では、キリスト教は宗教というよりも生得の権利なのだ。

「クルクス・ゲンマタだ」ファーシュがだしぬけに言った。

ぎくりとして視線をあげると、扉に映るファーシュの目がラングドンを見ていた。

エレベーターが揺れて止まり、扉が開いた。

ラングドンはそそくさと外へ出た。ルーヴルの展示室は天井が高いことで知られる。広々とした空間へ逃れたくてたまらない。ところが、足を踏み入れた世界は予想とかけ離れていた。

ラングドンはびっくりして、はたと立ち止まった。

ファーシュが目を向けた。「閉館後のルーヴルははじめてだろうな、ミスター・ラングドン」

それはそうだ。ラングドンは自分の位置をたしかめようとした。

ふだんはくまなく照明があたっているのに、この時刻の展示室は驚くほど暗かった。よくある天井からの均質な白色光ではなく、控えめな赤い光が幅木から立ちのぼり、タイルの床のところどころへこぼれているように見える。

真っ暗な廊下を見渡しながら、この光景は予測できたはずだと思った。大きな美術館はどこでも、夜間は赤い照明を使用しているのがふつうだ。係員が廊下を不自由なく歩くことができる一方、光にさらしすぎて絵の退色が進むのを避けるために、美術品を傷めない程度の微弱な明かりがほどよく配置されている。今夜のルーヴルは重苦しさをまとっていた。長い影があちらこちらにはびこり、いつもなら高々とアーチを描く天井が、低く垂れこめた黒い闇に見える。

「こっちだ」ファーシュが真右を向き、連なり合った展示室へと歩きはじめた。

そのあとに従って進むうち、ラングドンの目は暗がりにゆっくり慣れていった。周囲では、巨大な暗室で写真を現像するかのように、大判の油絵がつぎつぎその姿を現す。通り過ぎるラングドンを絵のなかの目が追っている。美術館特有の空気のにおい――乾燥し、イオン除去され、かすかに炭の混じった空気のにおいが感じられる。見学者の吐き出した二酸化炭素が美術品を劣化させないよう、工業用のフィルター付き除湿機が二十四時間働いているからだ。

壁の高所に目立つ形で取りつけられた防犯カメラは、見学者に明らかなメッセージを送りつづける――おまえの姿をわれわれは見ている。展示品に手をふれるな。

「本物はあるんですか」ラングドンはカメラを指して尋ねた。

ファーシュは首を横に振った。「もちろん、ないとも」

驚きはしない。この規模の美術館を映像で監視するのは、ひどく費用がかさむし効率が悪い。ルーヴルの何エーカーもの展示室群を見張るとなると、送られてくる映像を確認するだけでも数百人の技術者が必要だ。そこで、いまや大規模な美術館のほとんどが〝封じこめ警備〟の手法を採り入れている。泥棒を締め出すのではなく、中へ閉じこめる戦略だ。そのシステムは閉館後に作動する。もし侵入者が陳列品を動かせば、その展示室のある区画の出口が封鎖され、警察が駆けつけもしないうちに賊は檻《おり》のなか、というわけだ。

大理石の通路の先から人の声が響いてきた。前方右側の奥まった大きなアルコーブから聞こえるようだ。明るい光が廊下に漏れている。

「館長の執務室だ」ファーシュが言った。

アルコーブに近づくと、ラングドンは短い通路の奥にあるソニエールの豪華な書斎をうかがった。あたたかみのある木が使われ、巨匠たちの絵が飾られていて、大きなアンティークの机の上には、甲冑《かっちゅう》をつけた背丈二フィートほどの騎士像がある。数人の捜査官が室内を動きまわり、電話をかけたりメモをとったりしている。そのうちのひとりはソニエールの机に陣どって、ノート型パソコンを叩《たた》いている。どうやら今夜の館長執務室は、フランス司法警察の急ごしらえの司令室になったらしい。

「諸君《メシユー》」ファーシュが呼びかけると男たちは顔を向けた。「ヌ・ヌー・デランジェ・パ・スー・オーカン・プレテクスト。アンタンデュ？」

部屋にいた全員がうなずいた。

ホテルの部屋のドアにさげる〝起こさないでください《ヌ・パ・デランジエ》〟の札をよく利用していたので、ラングドンは警部の命令の大意をつかめた。何があってもわれわれの邪魔をするな、と命じたらしい。

捜査官の一団を残し、ふたりは暗い廊下をさらに進んだ。三十ヤード先に、最も人気のあるセクションであるグランド・ギャラリーの入口が現れた。果てしなくつづく回廊に、ルーヴルでもとりわけ貴重なイタリアの名作の数々が陳列されている。ラングドンはすでに、ソニエールの遺体があるのはここではないかと推察していた。あのインスタント写真には、まぎれもなくグランド・ギャラリーの有名な寄せ木張りの床が写っていた。

近づくと、入口はまるで中世の城で襲撃を防ぐのに使われたかのような、とてつもなく大きな鉄格子にふさがれていた。

「封じこめ警備だよ」鉄格子に歩み寄りながら、ファーシュが言った。

暗いなかでも、このバリケードなら戦車も通さないように見える。すぐ前までたどり着き、ラングドンは鉄格子の隙間から、薄明かりに照らされた洞穴を思わせるグランド・ギャラリーをのぞいた。

「先にどうぞ、ミスター・ラングドン」

ラングドンは振り返った。どうぞって、どこへ？

ファーシュは鉄格子の下の床を指さした。

ラングドンは下を見た。暗くて気づかなかったが、ゲートは二フィートほど引きあげられ、中途半端な隙間があいている。

「この区画はまだルーヴルの警備員も立ち入り禁止にしてある」ファーシュは言った。「わたしの部下もたったいま検分を終えたところだ」開口部を示す。「下をくぐってくれ」

ラングドンは這《は》わなければ通れない足もとのせまい空間を見つめ、それから頑丈そうな鉄の柵《さく》を見あげた。冗談だろう？　侵入者を押しつぶそうと待ち構えるギロチンのようだ。

ファーシュはフランス語で何やらぼやき、腕時計をたしかめた。そして膝《ひざ》を突き、鉄格子の下に巨軀《きょく》を滑りこませる。向こう側へ抜けて立ちあがると、格子のあいだからラングドンを見た。

ラングドンはため息をついた。磨かれた寄せ木張りの床に両手を突き、うつ伏せになって前進する。くぐっている途中、ハリス・ツイードの襟が格子の根もとにひっかかり、後頭部を鉄の棒にぶつけた。

たいした身のこなしじゃないか、ロバート。まごつきながらも、ようやく通り抜けた。立ちあがったとき、ひどく長い夜が待ち構えている気がしてきた。

5

マレー・ヒル・プレイス——オプス・デイの新しい本部と会議場は、ニューヨーク市のレキシントン・アヴェニュー二四三番地にある。四千七百万ドルの費用をかけた約十三万平方フィートの楼閣の外壁には、赤煉瓦《れんが》とインディアナ産の石灰岩が用いられている。メイ&ピンスカ社の設計によるこのビルは、百以上の個人用寝室、六つの食堂、数々の図書室や居間や会議室やオフィスを備える。二階、八階、十六階には、木と大理石で飾られた礼拝堂がある。十七階はすべて居住空間だ。男性はレキシントン・アヴェニューに面した表玄関から入館する。女性は別の通りからはいり、館内では男性と〝聴覚的にも視覚的にも遮断〟される。

先刻、この建物の聖なるペントハウスで、マヌエル・アリンガローサ司教が小さな旅行鞄《かばん》に荷物を詰め、伝統的な黒い法衣を身につけた。いつもなら紫の帯を腰に巻くのだが、今夜は一般の人々に交じって出かけるつもりであり、自分が高位にあると気《け》どられたくなかった。よほどの観察眼を持つ人間だけが司教の指輪に気づくだろう。十四カラットの金でできたその指輪には紫のアメジストと大きなダイヤモンドがはめこまれ、司教冠と杖《つえ》の彫り物がある。旅行鞄を肩にかけ、声を出さずに祈りを唱えてから部屋を出て、ロビーへおりた。待っていた運転手が車で空港まで送った。

いま、アリンガローサはローマ行きの民間機の窓から暗い大西洋を見つめていた。日はとうに沈んでいるが、自分自身の星がのぼりつつあるのは知っている。今夜、戦いに勝つ。ほんの数か月前、わが帝国を破壊しようとする者に対し、なす術《すべ》もないと感じていたのが嘘のようだ。

オプス・デイの代表として、アリンガローサ司教はこの十年間を、神の御業《みわざ》――ラテン語でオプス・デイ――を広く伝えるために費やしてきた。この組織はスペイン人神父ホセマリア・エスクリバーによって一九二八年に創立された。カトリック本来の価値観への回帰を奨励し、会員には神の御業を実践するために、みずからの生活においても大きな犠牲をいとわぬよう呼びかけた。

オプス・デイの伝統主義的な思想は当初、フランコ体制以前のスペインに根づいたが、一九三〇年代にホセマリア・エスクリバーによる霊的な書『道』（神の御業を人生で実践するための九百九十九の教訓を説いたもの）が出版されると、エスクリバーのメッセージは世界じゅうへ一気に広まった。『道』は四十二か国語で四百万部以上発行され、オプス・デイは地球規模の勢力となった。大都市にはかならずと言っていいほど宿舎や教育施設が置かれ、大学まで存在する。オプス・デイは世界で最も成長が速く、最も財政の安定したカトリック組織である。不幸にも、宗教不信やカルトやテレビ伝道師がはびこるこの時代では、オプス・デイの増大する資産や影響力が疑惑を招くということを、アリンガローサは承知していた。

「オプス・デイはよく洗脳カルトと言われますが」記者たちはしばしば責め立てた。「超保守的なキリスト教秘密結社と呼ぶ人もいます。どちらなのですか」

「どちらでもありません」司教は辛抱強く答えた。「わたしたちはカトリック教会の一派です。日々の暮らしのなかでかぎりなく厳格にカトリックの教義に従うことを旨とした、カトリックの信徒団なのです」

「神の御業には、きびしい貞潔の誓いや高額の寄付、それに自分を鞭《むち》打ったりシリスを身につけたりして罪を贖《あがな》う行為が必要なのでしょうか」

「あなたがおっしゃっているのは、オプス・デイのほんの一部分にすぎません」アリンガローサは言った。「かかわり方にはさまざまな段階があるのです。オプス・デイの会員の多くは結婚して家族を持ち、それぞれの地域社会のなかで神の御業を実践しています。一方、世俗との交渉を断って宿舎で修行生活を送る道を選ぶ者もいます。どちらを選択するかは個人の自由ですが、神の御業によって世界をよりよき場所にするという目標はオプス・デイに属する全員に共通しているのですよ。これはまさに賞揚すべき探求ではありませんか」

しかし、道理を説いても効果はなかった。メディアはスキャンダルにしか興味を示さないし、オプス・デイも大組織のご多分に漏れず、会員のほんの一部の不心得者が組織全体に暗い影を投げかける。

二か月前、中西部のとある大学のオプス・デイのグループが、新入会員に薬物のメスカリンを与えて陶酔感を体験させようとし、検挙された。別の大学生は棘《とげ》のついたシリスのベルトを所定の一日二時間より長く着用したため、感染症にかかって危うく命を落とすところだった。ボストンではつい先ごろ、絶望した若い投資銀行員が、全財産をオプス・デイに譲渡すると署名したのちに自殺を図った。

心得ちがいの羊たちよ。アリンガローサは彼らに思いをはせた。

もちろん、何より困惑させられたのは、スパイであったFBI捜査官ロバート・ハンセンの裁判が大々的に報道されたときだ。ハンセンはオプス・デイの会員であるうえに、性的倒錯者でもあったことが判明した。裁判の過程で、ハンセンが自分の寝室に隠しビデオカメラを仕掛け、妻とのセックスを友人たちに見せていた証拠が明かされた。「敬虔《けいけん》なカトリック信者の娯楽とはとうてい言えない」と裁判長は述べた。

残念ながら、こうした事件が重なって、オプス《O》・デイ《D》監視《A》ネットワーク《N》という団体が幅をきかせるようになった。この団体の広く知られたウェブサイト（www. odan. org）では、入会の危険を警告する元会員たちによる、恐怖の体験談が語り継がれている。いまやメディアはオプス・デイを〝神のマフィア〟や〝キリストのカルト〟などと呼ぶ。

人は理解できないものを恐れる。アリンガローサは思った。こういう批判的な手合いは、オプス・デイがどれだけ多くの人々に豊かな人生をもたらしてきたかを知っているのだろうか。われわれはヴァチカンの全面的な支持と恩恵を受けている。オプス・デイは教皇直轄の属人区だ。

だが、このところオプス・デイは、メディアよりはるかに強大な力に脅かされていた……予想もしなかった敵であり、アリンガローサ自身もけっして逃れることはできない。五か月前、司教の権力の万華鏡は揺さぶられ、いまだその打撃によろめいていた。

「連中はみずからはじめた戦争に気づいていない」飛行機の窓から眼下の暗い海を見やりながら、アリンガローサはつぶやいた。つかの間焦点が移り、窓に映る自分の不《ぶ》恰好《かっこう》な顔が目に留まった——浅黒く面長で、平たい曲がった鼻が際立っている。スペインで宣教師をしていた若き日に、こぶしで叩《たた》きつぶされたものだ。体の傷痕《きずあと》はもうほとんど残っていない。アリンガローサの傷は肉体でなく、魂の世界にある。

飛行機がポルトガルの海岸線を越えたころ、法衣のなかで消音モードの携帯電話が振動した。フライト中の携帯電話の使用は航空法で禁じられているとはいえ、これは是が非でも出なくてはならない電話だ。この番号を知るのはただひとり、かつて電話機を自分に送ってきた男だ。

興奮しつつも落ち着いて応答する。「もしもし？」

「シラスがキー・ストーンのありかを突き止めました」相手は言った。「パリです。サン・シュルピス教会にあります」

アリンガローサは笑みを浮かべた。「なら、すぐ近くだな」

「すぐに手に入れられます。ただし、あなたの力が必要です」

「わかっている。何をしたらいいか教えてくれないか」

電話を切ったときには、心臓が高鳴っていた。アリンガローサはふたたび夜の虚空を見つめた。みずからはじめたことの重大さゆえに、わが身が小さくなった気がした。

五百マイル離れた場所では、色素欠乏症のシラスが、水を張った小さな洗面器の上にかがみこんで背中の血をぬぐいながら、水に赤いらせん模様ができるのを見つめていた。ヒソップの枝でわれを浄《きよ》めたまえ、さらばわれ清まらん、と「詩篇」のことばを唱えつつ祈った。われを洗いたまえ、さらばわれ雪よりも白からん。

シラスは、以前の生活を捨てて以来はじめての高揚感を覚えていた。それは意外でもあり、大いなる刺激でもあった。この十年間〝道〟に従って、罪を浄め、人生を立てなおし、暴力に満ちた過去を消すべくつとめてきた。けれども、今夜はなぜかすべてが逆もどりした。必死で葬り去ろうとしてきた憎しみが呼び覚まされた。これほどすぐに昔を取りもどせるとは驚きだ。となれば、おのずと昔の腕もよみがえった。錆《さ》びついてはいるが、じゅうぶん使えた。

イエスの伝えたものは、平和……非暴力……そして愛である。シラスが最初に教えられ、心に刻んだことばだ。そして、それは神の敵がまさに叩き壊そうとしているものでもある。神を力で脅かす者は、力で報いを受ける。未来永劫《えいごう》、変わらぬ掟《おきて》だ。

二千年のあいだ、キリスト教の戦士たちはその信仰を破壊者たちから守ってきた。

そして今夜、シラスは戦いに駆り出されていた。

傷が乾くと、頭巾《ずきん》のついた長い法衣をまとった。質素な暗色の毛織りで、肌と髪の白さが際立つ。腰まわりに帯紐《おびひも》を締めて頭巾を持ちあげ、鏡に映るおのれの姿を赤い目でながめて愛《め》でた。車輪は動きだした。

6

セキュリティ・ゲートの下をどうにか抜け、ロバート・ラングドンはグランド・ギャラリーの入口に立った。長く深い渓谷の口を見つめる。ギャラリー両脇の殺風景な壁は高さが三十フィートもあり、上方は闇に吸いこまれている。夜間照明の赤い光が壁を伝いのぼり、天井からケーブルで吊《つ》られた驚くべき数のダ・ヴィンチ、ティツィアーノ、カラヴァッジョの作品に、不自然な陰影を帯びさせている。静物画、宗教画、風景画に加えて、貴族や政治家の肖像画もある。

グランド・ギャラリーにはルーヴルでも特に名高いイタリアの美術品がおさめられているが、訪れた人の多くが何よりも心を奪われるのは、みごとな寄せ木張りの床である。オークの板を斜めに組み合わせた美しい幾何学模様の床は、しばし目の錯覚を引き起こす――一歩ごとに変化する床の上を進む者に、たゆたうような感覚をもたらす多次元の網の目だ。

ラングドンの視線もその模様をたどりはじめたが、ふと動きが止まった。ほんの数ヤード左の、警察の現場保存用テープに囲まれたあたりに、思いがけないものが落ちている。ラングドンはファーシュに向きなおった。「あれは……床にあるのはカラヴァッジョですか？」

ファーシュは見もせずにうなずいた。

あの絵の価値は二百万ドル以上になるだろう。それなのに、捨てられたポスターのように床に落ちている。「いったいなぜ床なんかに！」

ファーシュはまるで動じる様子もなく、ただ苦い顔をした。「ここは事件現場なんだよ、ミスター・ラングドン。われわれはいっさい手をふれていない。あの絵を壁からはずしたのは館長だ。そうやってセキュリティ・システムを作動させた」

ラングドンはゲートを振り返り、何が起こったのかを想像しようとした。

「館長は執務室で襲撃されたあと、グランド・ギャラリーへ逃れ、あの絵を壁からはずしてセキュリティ・ゲートをさげるシステムを作動させた。ゲートはすぐに降下し、通路は完全にふさがった」

ラングドンは混乱した。「ということは、館長は襲撃者をグランド・ギャラリーに閉じこめたんですか」

ファーシュはかぶりを振った。「セキュリティ・ゲートは襲撃者がソニエールに近づけないようにしただけだ。敵は廊下に締め出され、このゲートの隙間からソニエールを撃った」いまくぐったゲートの格子の一か所に、オレンジのタグがつけられているのを指さす。「技術科学警察《PTS》チームが銃の硝煙反応を検知したよ。外から撃ったんだな。ソニエールはここでひとりで死んだ」

ラングドンはソニエールの遺体の写真を思い浮かべた。自分で作りあげた、ということだった。目の前に伸びる広い通路を見やる。「それで、遺体はどこに?」

ファーシュは十字架のネクタイ留めを正し、歩きはじめた。「知っているだろうが、グランド・ギャラリーは恐ろしく長いんだ」

ラングドンの記憶が正しければ、長さは約千五百フィートで、寝かせたワシントン・モニュメント三つぶんにほぼ相当する。同じくらい驚かされるのは廊下の幅の広さで、旅客列車二台が同時に通過してもまだ余裕がある。中央にはところどころに彫像や巨大な磁器の壺《つぼ》が配置され、それらが興趣をそがない仕切りとなって、往路と復路の人の流れを自然に生み出している。

ファーシュは口をつぐみ、前方を見据えて通路の右側を突き進んでいった。ラングドンにしてみれば、数々の傑作に一顧も与えずに過ぎ去ってしまうのは、無礼な気さえした。

この暗さではどうせ何も見えそうにないが。

忌まわしいことに、柔らかな深紅の明かりは、やはりこのような照明が使われていたヴァチカン記録保管所での体験を思い起こさせた。九死に一生を得たあのローマの事件との不気味な類似は、今夜これでふたつ目だ。ふたたびヴィットリアを思い出した。もう何か月も夢にさえ現れていない。あれがほんの一年前だとは信じられなかった。何十年もたった気がする。別の人生だ。ヴィットリアから最後に便りが来たのは十二月で、これからジャワ海へ向かうと書かれた絵はがきだった。生物物理学の調査をつづけるために、衛星を利用してイトマキエイの回遊を追跡するとかなんとか。ヴィットリア・ヴェトラのような女性が大学のキャンパスで自分と幸せにやっていけるなどという幻想をいだきはしなかったが、あの日の出会いは自分が想像したこともなかった願望を解き放った。独身生活とその気ままな身軽さを生涯求める気持ちが少なからずぐらついて……かわりに、思いも寄らないむなしさが一年かけて募った気がする。

早足で歩きつづけたが、まだ遺体は見えない。「ジャック・ソニエールはこんなに遠くまで進んだんですか」

「撃たれたのは腹だ。絶命するまでかなり時間があったはずだ。十五分か、あるいは二十分以上かもしれない。強靱《きょうじん》な精神力の持ち主だったようだな」

ラングドンは仰天してファーシュを見た。「警備員が来るまで十五分もかかったと？」

「まさか。ルーヴルの警備員は警報が鳴るとすぐに反応して、グランド・ギャラリーが閉鎖されたと知った。鉄格子越しに、通路の奥で何者かが動く音を聞いたが、それがだれなのかはわからなかった。声をかけても返事がなかったらしい。そいつが侵入者にちがいないとにらんで、規定どおりに司法警察を呼んだわけだ。われわれも十五分以内に到着した。現場に来ると、くぐり抜けられるぶんだけゲートをあげて、武装警察官十数人を送りこんだ。ギャラリーをくまなく調べて、侵入者を追い詰めるために」

「結果は？」

「空振りだ。見つかったのは……」ファーシュは通路の奥を指さした。「あれだけだ」

ラングドンは目をあげ、ファーシュの伸ばした指の先へ視線を移した。はじめは、通路中央の大きな大理石の像を指さしているのだろうと思った。だが近づいていくと、彫像の向こうにあるものが目にはいった。三十ヤードほど先に組み立て式の照明スタンドが置かれ、そこから発せられる光が床を照らして、深紅のギャラリーに輝かしい白の孤島を作り出している。光の島の中央では、寄せ木張りの床の上に、顕微鏡の下に置かれた昆虫のごとく、ソニエールの裸の死体が横たわっていた。

「写真を見たのなら、驚くまい」ファーシュは言った。

遺体に近寄るにつれ、体の奥底から寒気がこみあげた。目の前にあるのは、ラングドンがかつて見たこともない異様な絵図だった。


ジャック・ソニエールの青白い体は、写真で見たとおりの姿勢でそこにあった。まぶしい光に目を細めて死体のそばに立つと、驚きがよみがえった。いまわの際のソニエールが、みずからの体にこんな奇妙な恰好《かっこう》をさせたとは。

ソニエールの体は年齢の割にすばらしく引き締まっていた。そして筋肉組織が隅々まで見てとれた。衣服をひとつ残らず脱いでていねいに床に置き、広い通路の中央で、長軸に体の向きを沿わせる形で仰向《あおむ》けに横たわっている。両の腕と脚は翼をひろげた鷲《わし》の形に投げ出され、ちょうど子供がよく作るスノー・エンジェル（新雪をくぼませて作る人の形）のようだ……というより、目に見えない力で四方へ引っ張られている人間、のほうが適切な形容だろうか。

胸骨のすぐ下の、弾丸が撃ちこまれた痕《あと》に血がにじんでいる。傷からの出血はことのほか少なく、黒ずんだ血がわずかに付着しているだけだ。

左の人差し指にも血がついているが、これはおそらく傷口に浸したからだろう。ソニエールは戦慄《せんりつ》の死を迎える間際に、なんとも不可解な行為に及んでいた。自分の血をインクに、裸の腹をキャンバスにして、体に単純な象徴を描いたのだ。それは五本の直線が交差した、五つの頂点を持つ星だった。

ペンタクル——五芒星《ごぼうせい》。

へそを中心とする血染めの星は、遺体に陰惨きわまりないオーラをまとわせている。あの写真だけでもぞっとしたが、じかに見てみると不気味さがいっそう募る。

これをソニエールが自分で作りあげた。

「ミスター・ラングドン」ファーシュの黒い目がふたたびこちらへ向けられた。

「五芒星ですね」ラングドンは言った。広大な空間に自分の声がうつろに響く。「世界で最も古い象徴のひとつです。キリスト生誕以前から、四千年以上も使われてきました」

「それで、どんな意味があるのかね」

この質問をされるたび、どう答えたものかと迷う。象徴の意味するところを人に教えるのは、歌を聴いてどう感じるべきかを教えるのと似たようなものだ。それは人それぞれに異なる。クー・クラックス・クランの白いかぶりものは、アメリカでは憎しみと人種差別のイメージにつながるが、スペインでは同じ衣装が信仰心の表れとなる。

「象徴は背景が異なれば意味も変わるものです」ラングドンは言った。「本来、五芒星は異教の象徴でした」

ファーシュはうなずいた。「悪魔崇拝だな」

「いいえ」ラングドンはそう答えてすぐ、もっとわかりやすいことばを使うべきだったと気づいた。

近年、異教――〝pagan〟――ということばは悪魔崇拝とほぼ同義と見なされているが、これは大きな誤解だ。この語の起源へさかのぼると、ラテン語の〝paganus〟、すなわち〝田舎に住む者〟という意味の語にたどり着く。〝pagan〟とは文字どおり、キリスト教が行き渡らない僻地《へきち》の人々――古い土着の自然崇拝を守る人々のことだった。カトリック教会はこうした田舎の村――〝village〟――に住む人たちを恐れたので、かつては単に〝村人〟を表す語であった〝villain〟が、ならず者という意味に変化してしまった。

「五芒星は」ラングドンは説明した。「キリスト教以前の自然崇拝にまつわる象徴です。古代人は、世界がふたつの側面を持つと考えていました――男性と女性ですね。男神と女神が力の均衡を維持すると見なしていたわけです。陰と陽。男女のバランスがとれていれば、世界は調和が保たれる。バランスが崩れれば、混沌が訪れる」ソニエールの腹部を示す。「五芒星は、万物の女性側の半分――宗教史学者が〝神聖な女性〟や〝聖なる女神〟と呼ぶ概念を表します。ミスター・ソニエールはそのことをだれよりもよく知っていたはずです」

「自分の腹に女神の象徴を描いたって？」

奇妙なことだ、とラングドンも認めざるをえなかった。「さらに絞りこんだ解釈をすると、五芒星が象徴するのはヴィーナス――性愛と美の女神です」

ファーシュは裸の死体に目をやり、低くうなった。

「原始の宗教は、自然の摂理の神聖さに基づいていました。女神ヴィーナスと金星《ヴィーナス》は一体だったわけです。この女神は夜空にいて、いろいろな名で知られていました――ヴィーナス、東方の星、イシュタル、アシュタルテ――どれもが自然や母なる大地と結びついた、力強い女性の概念です」

ファーシュはますます混乱したようだ。どうやら悪魔崇拝のほうが受け入れやすいらしい。

ラングドンは、五芒星に関連する最も驚くべき事実はあえて話さないことにした――五芒星の図形そのものも金星に由来するという事実だ。学生のころに受けた天文学の授業で、金星が八年周期で黄道上に五芒星を描くと知り、感銘を受けた。驚いたのはこの現象に気づいた古代人も同じらしく、それゆえ金星とその五芒星は完璧《かんぺき》さ、美しさ、そして性愛のもたらす循環の象徴となった。ギリシャ人は金星の魔法に敬意を表し、その八年の周期の半分を基準としてオリンピア競技会の開催時期を決めた。現代のオリンピックがなおもそれに従って、四年ごとに開催されていると知る人は少ない。ましてや、オリンピックの公式マークが五芒星に決まりかけていたことはほとんど知られていない。大会の精神である統合と調和のメッセージをより強く打ち出すために、土壇場になって五つの組み輪に変えられたのである。

「ミスター・ラングドン」ファーシュは唐突に言った。「五芒星が悪魔とも関係があるのは明らかだよ。きみたちアメリカ人が作るホラー映画がそれを証明しているじゃないか」

ラングドンは渋い顔をした。まったく、ハリウッドさまさまだな。五つの頂点を持つ星は、いまや凶悪な連続殺人を描く映画には付き物だ。たいがい、悪魔崇拝者のたぐいが住むアパートの壁に、邪悪とされるいくつかの記号とともに殴り書きされている。そうした場面でこの象徴が使われているのを見ると、いつも腹立たしくなる。五芒星の真の起源は神聖そのものなのに。

「誓って言いますが」ラングドンは言った。「映画で何をご覧になったにせよ、五芒星を悪魔と結びつける解釈は歴史的にまちがっています。五芒星は本来女性の象徴でしたが、二千年のあいだにその意味がねじ曲げられてきました。この場合は、血なまぐさい歴史を経てね」

「よくわからんな」

ラングドンはファーシュの十字架をちらりと見た。どう説明したらいいだろう。

「教会ですよ、警部。象徴というのは耐性が強いものですが、五芒星の場合は初期のローマ・カトリック教会によって意味を大きく変容させられました。異教を根絶やしにして、大衆をキリスト教へ改宗させる作戦の一環として、教会は異教の神々を徹底的に冒瀆《ぼうとく》し、神聖な象徴を邪悪なものに変えたんです」

「なるほど」

「混迷の時代にはよくあることです」ラングドンはつづけた。「新興勢力が既存の象徴を奪い、それを長期間貶《おとし》めてもとの意味を消し去ろうとする。異教の象徴とキリスト教の象徴の戦いでは、異教が敗れました。ポセイドンの三叉《みつまた》の矛は悪魔の槍《やり》に、老賢女のとんがり帽子は魔女の象徴に、そして金星の五芒星は悪魔のしるしになったのです」そこでことばを切る。「残念ながら、アメリカ軍も五芒星の使い方を誤りました。いまでは戦争の象徴の最たるものです。どの戦闘機にも描かれていますし、どの将官の肩にもついていますからね」愛と美の女神はどこへ行ったのか。

「おもしろい」ファーシュは大きく手脚をひろげた死体へと顎《あご》をしゃくった。「では、死体の恰好は？　どう説明するんだね」

ラングドンは肩をすくめた。「五芒星と聖なる女性の意味合いを強調しているだけです」

ファーシュの表情が曇った。「なんだって？」

「反復ですよ。同じ象徴を重ねるのは、意味を強める最も簡単な方法です。自分の体を用いて、もうひとつ五芒星を作ったんでしょうね」ひとつよりふたつのほうがいい。

ファーシュはつややかな髪を手で梳《す》きながら、ソニエールの腕、脚、頭が示す五つの点を目でたどった。「興味深い分析だ」少し間を置く。「では、裸になったのは？」老いた男の裸体など見たくもないと言わんばかりに、うなり声を漏らした。「なぜ服を脱いだんだね」

痛いところを突くものだ。インスタント写真を最初に見たときから、ラングドンも同じ疑問をいだいていた。せいぜい思いついたのは、裸体もまたヴィーナス――人間の性愛をつかさどる女神――を想起させるという説明ぐらいだ。現代の文化では、男女の肉体の結びつきとヴィーナスとの関連はほとんど忘れ去られているが、注意深く観察すれば、〝性交の《venereal》〟という語のなかにヴィーナス《Venus》の痕跡《こんせき》が見てとれる。ラングドンはそこまでは言うまいと決めた。

「ファーシュ警部、ミスター・ソニエールがこの象徴を自分の体に描いたり、こんな恰好をしたりした理由は、わたしにはまったく見当がつきません。しかし、ジャック・ソニエールのような人物なら、まちがいなく五芒星を女性の神性のしると考えるはずです。この象徴と聖なる女性との相関関係は、美術史家や象徴学者のあいだでは広く知られていますから」

「わかった。では、自分の血液をインクがわりにしたのは？」

「ほかに利用できるものがなかったからでしょうね」

ファーシュはしばし間をとった。「血液を使ったのは、警察にある種の法医学的な検証をさせるためだとわたしは考えている」

「なんですって？」

「左手を見てくれ」

ラングドンはソニエールの青白い左腕から指先まで視線を這《は》わせたが、何も見あたらなかった。判然としないまま死体の周囲をまわり、しゃがんでみると、驚いたことにソニエールが大きなフェルトマーカーを握りしめているのがわかった。

「われわれが発見したとき、ソニエールはそれを手にしていた」ファーシュはラングドンから離れ、数ヤード隔たった折りたたみ式テーブルへ歩み寄った。捜査に使う道具やケーブル、さまざまな電子機器が並んでいる。「さっきも言ったとおり」テーブルのまわりを探りながら、ファーシュは言った。「われわれは何ひとつ手をふれていない。この種のペンを見たことはあるか」

ラングドンはかがみこんでペンのラベルを見た。

スティロ・ド・リュミエール・ノワール。

驚いて顔をあげる。

ブラックライト・ペン、または透明インクペン。これは特殊なフェルトマーカーで、もとは美術館、修復技術者、鑑定者などが、見えないしるしを作品につけるために考案したものだ。腐食性のないアルコール・ベースの蛍光インクが使われており、ブラックライトをあてなければ肉眼では読みとれない。昨今では美術館の管理担当者が日々の巡回の折に持ち歩き、修復の必要な絵の額に〝見えない目印〟をつけるために使う。

ラングドンが立ちあがると、ファーシュはスタンドの明かりを消した。ギャラリーは突然闇に沈んだ。

まったく目が見えなくなり、ラングドンは不安に襲われた。つぎの瞬間、明るい紫の光に照らされて、ファーシュのシルエットが際立った。すみれ色の靄《もや》をまといつつ、何やら光源を手にして近づいてくる。

「知っているかもしれないが」目をやはりすみれ色に光らせたファーシュが言った。「警察は犯行現場で血液その他の鑑識資料を探す際にブラックライトを使う。だから、われわれがどれほど驚いたか想像はつくだろうが……」唐突にライトを死体に向けた。

下を見たラングドンは、衝撃のあまり飛びすさった。

寄せ木張りの床に浮かびあがった異様な光景に、心臓が高鳴った。走り書きされた文字が発光し、ソニエールの遺《のこ》したことばが死体のかたわらで紫に輝いている。ラングドンはそれを見つめながら、今宵《こよい》を覆っていた霧が一段と深くなるのを感じた。

もう一度メッセージを読み、ファーシュを見た。「これはいったい……どういう意味ですか」

ファーシュの目が白くきらめいた。「きみを呼んだのは、まさにその質問に答えてもらうためだ」

そこからほど近いソニエールの執務室では、ルーヴルにもどったコレ警部補が、館長の大きな机に載せた音響装置に張りついていた。机の隅から、ロボットに似た薄気味悪い中世の騎士の模型がこちらを見つめていることを除けば、なかなか居心地がよい。ヘッドフォンをつけ、ハードディスク録音システムの入力レベルをたしかめる。システムはすべて順調だ。マイクは完璧に機能しており、音声がこの上なく明瞭《めいりょう》に聞こえる。

真実の瞬間《ル・モマン・ド・ヴェリテ》だ。

コレは笑みを浮かべて目を閉じ、録音中のグランド・ギャラリーでの会話のつづきを堪能《たんのう》することにした。

7

サン・シュルピス教会には、教会堂の二階部分、聖歌隊席のバルコニーの左に、質素な宿所がある。石の床に最小限の家具を備えたこの二間《ふたま》の部屋で、シスター・サンドリーヌ・ビエイルは十年以上暮らしてきた。本来の住まいは近くの女子修道院だが、教会堂の静けさが気に入っているし、ベッドと電話とホットプレートがあればじゅうぶん快適に感じられた。

シスター・サンドリーヌは管理人として、教会運営上の雑事を取り仕切っていた——保守整備全般、職員やガイドの雇い入れ、閉館後の戸締まり、そして聖体拝領に使うワインと聖餅《ホスチア》の補充などだ。

この夜、小さなベッドで眠っていたとき、けたたましい電話の音で目を覚ました。しぶしぶ受話器をあげる。

「スール・サンドリーヌ。エグリズ・サン・シュルピス」

「こんばんは、シスター」相手もフランス語だった。

シスター・サンドリーヌは体を起こした。いま何時だろう？　上司の声だとはわかったものの、この十五年間、こんなふうに叩《たた》き起こされたことは一度もなかった。神父はきわめて敬虔《けいけん》な人物で、ミサを終えるとすぐ帰宅して床に就くのが常だ。

「起こしてすまない、シスター」神父自身の声も、疲れて苛立《いらだ》っているようだ。「ひとつ頼みを聞いてくれないだろうか。たったいま、アメリカの有力な司教から電話があったのだよ。あなたも知っているだろう。マヌエル・アリンガローサだ」

「オプス・デイの代表ですか？」もちろん知っている。知らない者がキリスト教界にいるだろうか。アリンガローサの保守的な教区であるオプス・デイは、近年になって大きな力を持つようになった。その地位が急上昇したのは、一九八二年に教皇ヨハネ・パウロ二世が突然それを〝教皇直轄の属人区〟に昇格させ、活動のすべてを正式に認可してからだ。同じ年、資金潤沢なオプス・デイは、十億ドル近い金をヴァチカンの宗教活動協会――通常はヴァチカン銀行という名で知られる組織――へ移し、恥ずべき破産状態から救ったと言われている。さらに疑わしいことに、教皇はオプス・デイの創設者を聖人への〝最短出世コース〟に乗せ、ふつうなら列福まで一世紀ほど待つところをわずか二十年に縮めた。シスター・サンドリーヌもオプス・デイがローマで優遇されているのを怪しまずにいられなかったが、教皇庁に異を唱える者などいない。

「アリンガローサ司教に頼まれてね」神父は落ち着かない声で言った。「あちらの信徒の男性がひとり、今夜パリにいるんだが……」

その奇妙な要求を聞いて、シスターはとまどった。「つまり、そのオプス・デイ信徒は、朝まで待てないと言うのですか」

「そうだ。飛行機が朝早いらしくてね。サン・シュルピスをぜひ見たいと、つねづね思っていたそうだ」

「だけど、昼間のほうがずっとすばらしいじゃありませんか。円窓《オクルス》から差しこむ太陽の光、指時計《グノモン》に落ちて刻々と姿を変える影。それこそがサン・シュルピスらしさなのに」

「そのとおりだよ、シスター。しかし、今夜だけその人を入れてやってもらえないか。そちらへ着くのは……一時ごろになる。二十分後だ」

シスターは眉根《まゆね》を寄せた。「わかりました。喜んでお迎えします」

神父は礼を言って電話を切った。

当惑しながらも、シスターはあたたかいベッドに少しだけとどまり、眠気を振り払おうとつとめた。六十歳の肉体は昔のように寝覚めがよくはないが、今夜の電話はまちがいなく五感を目覚めさせた。オプス・デイと聞くといつもいやな気分になる。不可解な肉の苦行に固執する点は言うに及ばず、彼らの女性観はせいぜい中世並みだ。男性信徒がミサに出ているあいだ、女性信徒が男性の宿舎を無償で掃除させられると聞いたときはショックだった。男性は藁《わら》のマットで寝るのに、女性は硬い木の床で寝る。そして、女性は一段きびしい肉の苦行を強いられる。すべては原罪への贖《あがな》いとして課せられるという。イヴが知識の木の実をかじったために、女性は永遠に償うべき運命にあるということらしい。カトリック教会の大部分が女性の権利を尊重するという正しい方向へ徐々に動いているにもかかわらず、残念ながらオプス・デイはその流れを覆そうとしている。

とはいえ、指示には従わなくてはならない。

ベッドから脚をおろしてゆっくりと立つと、素足の裏に冷たい石がふれた。寒気がこみあげたとき、ふと恐怖を覚えた。

女の直感だろうか。

神に仕える者として、シスター・サンドリーヌはおのれの魂の穏やかな声に耳を傾け、平和を見いだす術《すべ》を身につけている。しかし今夜はその声も、閑散としたこの教会に劣らず静まり返っていた。

8

寄せ木張りの床に走り書きされた紫に光る文字に、ラングドンの目は釘《くぎ》づけになった。ジャック・ソニエールの最期のメッセージは、ラングドンが想像しうるどんな辞世の文句ともちがっていた。

13-3-2-21-1-1-8-5

O, *Draconian devil!*

Oh, *lame saint!*

13-3-2-21-1-1-8-5

おお、ドラコンのごとき悪魔め！

おお、役に立たぬ聖人め！

どういう意味かまるでわからないが、五芒星《ごぼうせい》が悪魔崇拝となんらかの形で関連しているとファーシュが考えたのも無理はない。

――おお、ドラコンのごとき悪魔め！

ソニエールは文字どおり〝悪魔〟と言い残している。数字の羅列もそれに劣らず異様だ。「一部は数字の暗号のようですね」

「そうだ」ファーシュが言った。「すでに暗号解読課にまわしてある。この数字が犯人を知る鍵《かぎ》かもしれない。電話番号とか、身分証明書のたぐいの番号とか。それとも、この数字には何か象徴的な意味があるかね」

ラングドンはもう一度数字を見たが、なんらかの意味を探り出すには何時間もかかると思った。もちろん、ソニエールが意味をこめていたとしての話だ。これらの数字はまったくのでたらめに見えた。なにがしかの象徴的な意味づけのできる数列も知っているが、ここにあるものはすべて――五芒星も、ことばも、数字も――根本からまるで接点がないのではないだろうか。

「きみはさっき、ソニエールの行動にはある種のメッセージがこめられていると言ったな……女神崇拝とか、その手のものだ。これはその文脈にどうあてはまるんだ」

質問の形をとっているのはうわべだけにすぎない、とラングドンも承知していた。ここに表明された奇怪なメッセージは、どう見ても女神崇拝というラングドンのシナリオにはそぐわない。

ドラコンのごとき悪魔？　役に立たぬ聖人？

「これは何かを非難したものらしい。そのことに異論はないな？」

死が迫っていると知りながらグランド・ギャラリーにひとり取り残されたソニエールの姿を、ラングドンは想像してみた。異論などあろうか。「犯人への非難なら筋が通ると思います」

「わたしの仕事はもちろん、その犯人を挙げることだ。ひとつ訊《き》かせてくれ、ミスター・ラングドン。数字はさておき、きみから見てこのメッセージのいちばん奇妙な点はどこだ」

いちばん奇妙な点？　死にかけた男がギャラリーに自分を閉じこめて、体に五芒星を描き、床に不可解な非難のことばを走り書きした。何から何まで奇妙じゃないか。

「〝ドラコンのごとき〟でしょうか」最初に思いついたことをとりあえず言ってみた。死を目前にして、ドラコン――紀元前七世紀の冷酷な政治家――などという名が頭に浮かぶとはとうてい思えない。「〝ドラコンのごとき悪魔〟とは、妙なたとえです」

「そうかね」ファーシュは少しばかりもどかしそうに言った。「ソニエールがどんなたとえを選んだかなど、大きな問題ではないはずだが」

何を念頭に置いてそう言っているのかはわからないが、ドラコンとファーシュならばそりが合ったのではないかとラングドンはふと思った。

「ソニエールはフランス人だ」ファーシュが冷たい声で言った。「パリに住んでいた。にもかかわらず、このメッセージは……」

「英語ですね」ようやく警部の言わんとしていることがわかった。

ファーシュはうなずいた。「そのとおり《プレシゼマン》。理由を思いつくかね」

ソニエールが完璧《かんぺき》な英語を話すことは知っているが、最期のことばをあえて英語で書いた理由はわからない。ラングドンは肩をすくめた。

ファーシュはふたたびソニエールの腹の五芒星を指した。「悪魔崇拝との関係はないんだな？　まだそう言いきれるか？」

言いきれることなど、もはや何もない。「使われている象徴とことばに食いちがいがあるようです。お役に立てなくて申しわけない」

「これを見ればはっきりするんじゃないか」ファーシュは死体から離れてもう一度ブラックライトを掲げ、もっと広い範囲に光線をあてた。「さあ、どうだ」

驚いたことに、死体の周囲に大きな円形が浮かびあがった。ソニエールは横たわってからペンで自分のまわりに長い弧をいくつか描き、円のなかに体がおさまる図を作りあげていた。

一瞬にして意味が明らかになった。

「〈ウィトルウィウス的人体図〉だ」ラングドンは息を呑《の》んだ。レオナルド・ダ・ヴィンチのいちばん有名な素描の等身大の複製がそこにある。

当時の最も解剖学的に正しい図と見なされているダ・ヴィンチの〈ウィトルウィウス的人体図〉は、その後現代文化の象徴となり、ポスターからマウスパッド、Tシャツに至るまで、世界じゅうで使われている。この名高いスケッチに描かれているのは完全な円に内接した男の裸体であり、手脚を大きくひろげている。

ダ・ヴィンチ。ラングドンは愕然《がくぜん》として体の震えを感じた。ソニエールの意図はまぎれもない。人生の最後の瞬間に服を脱ぎ、自分の全身をもってダ・ヴィンチの〈ウィトルウィウス的人体図〉を模したのである。

円が現れたために重要な要素がそろった。女性の保護本能を表す象徴である円が男性の裸体を囲むことで、ダ・ヴィンチの意図したメッセージが完成する——男女の調和だ。それにしても、なぜソニエールがかの素描を真似たのかは相変わらずわからない。

「ミスター・ラングドン」ファーシュが言った。「きみのような人間なら、レオナルド・ダ・ヴィンチが邪悪な絵を好んで描いたことを、むろん知っているはずだ」

ラングドンはファーシュのダ・ヴィンチに関する知識の深さに驚いた。それが発展して悪魔崇拝への疑念が芽生えた可能性は高い。ダ・ヴィンチは、とりわけキリスト教の伝統からすると、つねに歴史学者を悩ませる存在だった。先見の明を持つ天才である一方、異彩の同性愛者にして厳然たる自然の摂理の信奉者でもあり、神に対して永遠の罪を背負っていたに等しい。そして、常軌を逸した不気味なふるまいが悪魔的な印象を与えたことも否めない。ダ・ヴィンチは人体の構造の研究のために、死体を掘り返した。判読しにくい裏返しの文字を使い、怪しげな日記をつけた。鉛を金に変える錬金術の力が自分にあると信じ、不老長寿の霊薬を作って神を欺きもした。そのうえ、発明品のなかにはそれ以前には考えられなかった恐ろしい兵器や拷問具もあった。

誤解は疑惑を生むものだ。

ダ・ヴィンチはすばらしいキリスト教美術作品を多数生み出したが、かえってまやかしの信仰と叩《たた》かれるだけだった。ヴァチカンから実入りのいい仕事を何百も依頼されたダ・ヴィンチは、キリスト教をテーマとした作品を、おのれの信仰の表現としてではなく、商売の種として——豊かな暮らしを支える手段として——描きつづけた。さらに悪いことに、ダ・ヴィンチは自分を養ってくれる手にこっそり噛《か》みついてはおもしろがるいたずら者だった。キリスト教にまつわる絵の多くに、キリスト教らしからぬ象徴をまぎれこませることによって、自分の信じるものを讃《たた》え、教会を愚弄《ぐろう》していたわけだ。ラングドンはロンドンのナショナル・ギャラリーで、〝レオナルドの秘密の生涯——キリスト教美術にひそむ異教の象徴〟と題する講演をしたことさえある。

「そうおっしゃるのもわかりますが」ラングドンは言った。「ダ・ヴィンチは実際に邪悪な絵を描いたのではありません。つねに教会と対立していたとはいえ、いたって敬虔《けいけん》な人物だったんですよ」そう言いながら、ふと奇妙な考えが頭に浮かんだ。ふたたび床のメッセージへ視線を落とす。おお、ドラコンのごとき悪魔め！　おお、役に立たぬ聖人め！

「どうしたんだね」

ラングドンは注意深くことばを継いだ。「いま思ったんですが、ミスター・ソニエールは宗教に関してダ・ヴィンチと同じ思想を多くいだいていたのではないでしょうか。たとえば、教会が聖なる女性という観念を近代の宗教から消し去ったことへの反発などです。ひょっとしたら、ダ・ヴィンチの有名な素描を真似たのは、女神を悪魔扱いする教会に対する憤りを代弁させたにすぎないのでは」

ファーシュの目が険しくなった。「つまり、ソニエールは教会を役に立たぬ聖人だの、ドラコンのごとき悪魔だのと呼んだと言いたいのか」

突飛な考えなのはたしかだが、五芒星がその証拠だと言えなくもない。「ミスター・ソニエールは生涯かけて女神の歴史を研究してきた。その歴史を消してきたのはほかならぬカトリック教会だった。わたしが申しあげているのはそれだけです。最期のことばに失望感を盛りこんだとしても、不思議はない気がしますね」

「失望感？」ファーシュがこんどは敵意をむき出しに問いかけた。「このメッセージから読みとれるのは失望というより怒りじゃないか！」

ラングドンの忍耐は限界に近づいていた。「警部、あなたはミスター・ソニエールがここで何を伝えようとしたのかについて、わたしに意見を求めた。わたしは自分の考えを述べているだけです」

「で、教会への批判というのが答なのか」ファーシュは顎《あご》をこわばらせ、食いしばった歯の隙間から絞り出すように言った。「ミスター・ラングドン、わたしは仕事柄、数多くの死を見てきた。教えてやろう。まさに殺されようといういまわの際に、だれにも通じない、謎掛けもどきのあいまいなことばを書き残そうと思う人間がいるわけがない。考えるのはただひとつ」ファーシュのささやき声が空気を切り裂く。「復讐《ふくしゅう》だよ。ソニエールがこれを書いたのは、自分を殺したやつを教えるためだ」

ラングドンは目を大きくした。「しかし、これじゃ何もわからない」

「そうか？」

「そうですよ」疲れて苛立《いらだ》ったラングドンは反撃に出た。「ミスター・ソニエールは執務室で、本人が招き入れたとおぼしき相手に襲われたということでしたね」

「ああ」

「となると、当然襲撃者は知り合いだったわけです」

ファーシュはうなずいた。「そうだな」

「では、もし犯人を知っていたのなら、いったいこれはどんな告発ですか」床を指さす。「数字の暗号？　役に立たぬ聖人？　ドラコンのごとき悪魔？　腹に五芒星《ごぼうせい》？　どれもこれも難解すぎる」

ファーシュは思いも寄らなかったとでもいうように、顔をゆがめた。「そのとおりだ」

「どう考えても」ラングドンは言った。「もしミスター・ソニエールが犯人の正体を知らせたかったら、そいつの名前を書いたはずです」

ラングドンがそう言ったとき、今夜はじめてファーシュの唇を満足げな笑みがよぎった。「そのとおり《プレシゼマン》」ファーシュは言った。「プレシゼマン」

これはまさに名人の技だ。コレ警部補は音響装置のつまみをひねり、ヘッドフォンから聞こえるファーシュの声に耳を傾けた。ファーシュ警部がフランスの捜査機関の頂点近くまでのぼりつめたのは、こうした瞬間の積み重ねだとコレは知っている。

ファーシュはだれにもできないことをやってのける。

人を誘導して口を割らせるこの繊細な技術は、近ごろの捜査機関ではほとんど失われている。それには、切迫した状況でも揺るがない強靭《きょうじん》さが要求される。こうした作戦に必要な冷静さを身につけた人間はそう多くないが、ファーシュは生まれながらにそのひとりだった。ロボットさながらの抑制と忍耐を備えている。

今夜のファーシュは、まるでこの事件の逮捕に人生を賭《か》けているかのように決然としている。一時間前に捜査官たちへ指示を与えたときには、簡潔で自信たっぷりだった。ファーシュは言った。ジャック・ソニエールを殺害した人物はすでに特定できた。何をすべきかは知ってのとおりだ。今宵《こよい》、まちがいは許さない、と。

そしていまのところ、まちがいは起こっていない。

問題の人物が犯人だとファーシュが確信するに至った根拠はまだ知らないが、〝牡牛《ブル》〟の勘には逆らわないほうがいい。ファーシュの直感はときに超自然的なほどだ。その第六感がとりわけみごとに働いたとき、それを目のあたりにした捜査官が言ったことがある。神の声を聞いているのだ、と。もし神が存在するなら、ベズ・ファーシュは神の重要人物リストに名前が載っているとコレも認めざるをえない。警部はミサや告解に足しげくかよっており、ほかの捜査官が〝市民とよい関係を築くため〟に参列する回数よりもはるかに多い。数年前にローマ教皇がパリを訪れたとき、ファーシュはあの手この手を使って謁見の栄誉を授かった。教皇とともに撮った写真が、いまもファーシュのオフィスに掲げてある。捜査官たちはそれを〝教皇の大勅書《ブル》〟とひそかに呼んでいた。

それにしても、ファーシュの態度として受けのよかった近年まれな例のひとつが、カトリックの小児性愛者スキャンダルが広まった折の歯に衣着《きぬ》せぬ批判だったというのも皮肉な話だ。「あんな聖職者どもは二度絞首刑にしろ！」ファーシュは声高に言ったものだ。「一度は子供たちに対して犯した罪、もう一度はカトリック教会の名を穢《けが》した罪だ」コレはなんとなく、ファーシュを怒らせたのは後者の理由が大きいと思っている。

コレはノート型パソコンに向かい、今夜のもうひとつの任務に注意をもどした——GPS追跡システムの監視だ。画面に見えるのは、ルーヴルの警備局から取り寄せたドゥノン翼の詳細な間取り図である。入り組んだギャラリーや廊下を目でたどり、探していたものを見つけた。

グランド・ギャラリーで、小さな赤い点が明滅している。

ラ・マルク——目標。

今夜、ファーシュは獲物をごく近くにつなぎ留めている。賢明だ。どうやらロバート・ラングドンは狡猾《こうかつ》な相手らしい。

9

ラングドンとの話に邪魔がはいらないよう、ベズ・ファーシュは携帯電話の電源を切っておいた。ところが、無線の送受信機能がついた高級機種だったため、命令に反して部下が呼び出しをかけてきたのに反応した。

「警部《キャピテーン》？」無線機を思わせる粗い音声が響いた。

ファーシュは怒りに歯がきしむ思いだった。隠密監視《シュルベイヤンス・カシエ》のさなかに——それもこの山場に——割りこむほどの重要な用件をコレ警部補がかかえているはずはない。

ファーシュはあわてず、すまなさそうな顔をラングドンに向けた。「ちょっと待ってくれ」携帯電話をベルトからはずし、無線通信ボタンを押す。「ウィ？」

「警部、暗号解読課の捜査官が到着しました」コレがフランス語で言った。

ファーシュの怒りが一瞬しぼんだ。暗号解読官が？　タイミングは悪いが、おそらくよい知らせだろう。床に残された暗号文を見つけたあと、ファーシュはソニエールの意図を読みとらせるために、現場の写真をまるごと暗号解読課へ送りつけてあった。専門家がここに来たのは、メッセージが解読できたからにちがいない。

「いま忙しい」迷惑きわまりないと言いたげに、ファーシュは答えた。「解読官には司令室で待つように伝えてくれ。手があいたらわたしがその男と話す」

「女性ですよ」コレが指摘した。「ヌヴー捜査官です」

ファーシュはしだいに不愉快になってきた。ソフィー・ヌヴーの存在は、司法警察の大きな過ちのひとつだ。パリ出身のヌヴーは、ロンドン大学ロイヤル・ホロウェイ校で暗号学を修めた若い暗号解読官である。二年前、警察にもっと女性を登用しようという内務省の試みの一環として押しつけられた。ファーシュに言わせれば、政治的に正しくあろうとするお上の介入は警察を弱体化させている。女は警察の仕事に必要な身体能力がないばかりか、いるだけで現場の男たちの士気を乱す危険がある。ファーシュの恐れたとおり、ソフィー・ヌヴーは士気を乱すどころではなかった。

三十二歳のヌヴーは、ともすれば依怙地《いこじ》になりかねない不屈の意志を持っていた。イギリスの新しい暗号解読論の導入に熱心なあまり、上司である古参のフランス人解読官たちをたびたび憤慨させた。そして、ファーシュにとって何より厄介だったのは、中年男ばかりの職場に魅力的な若い女性がいては仕事が手につかなくなるという、逃れようのない普遍の真理だった。

コレの声がした。「ヌヴー捜査官はいますぐ話したいと言いまして。止めようとしたんですが、もうギャラリーへ向かっています」

あまりのことにファーシュは身を震わせた。「とんでもない！　はっきり言ってあったはず——」

ラングドンは一瞬、ファーシュが脳卒中でも起こしたのかと思った。話の途中で口の動きを止め、目を剝《む》いたからだ。ラングドンの肩越しに、凝然たるまなざしを何かへ注いでいる。ラングドンが後ろを見る前に、女の声が響いた。

「お邪魔《エクスキュゼ・モワ》してすみません、メシュー」

振り向くと、若い女が近づいてきた。大きくなめらかな足どりで通路を歩いてくる。自信がみなぎった歩き方だ。膝《ひざ》まであるクリーム色のアイリッシュ・セーターに黒のスパッツという軽装に身を包んだ、魅力的な三十歳前後の女性だった。赤褐色の豊かな髪が無造作に肩へ落ち、やさしい顔立ちを引き立てている。ハーヴァードの学生寮の壁のあちらこちらを飾るやせぎすのブロンド女たちとはちがって、気どらない美しさと、強い自信をのぞかせる素朴さがすがすがしい。

驚いたことに、女はラングドンの前にまっすぐ進み、丁重に手を差し出した。「ムシュー・ラングドン、わたしは司法警察暗号解読課のソフィー・ヌヴー捜査官です」

かすかにフランス語の響きが感じられる、ゆったりとした口調だ。「お会いできてうれしいです」

ラングドンは柔らかな手をとり、しばし強い視線に射すくめられた。瞳《ひとみ》はオリーブ色で、鋭くも澄んでいる。

ファーシュが苛立たしげに息を吸いこんだ。いまにも叱りつけようとしている。

「警部」ソフィーはすばやくファーシュに向きなおり、機先を制した。「お邪魔して申しわけありません。ただ――」

「よりによってこんなときに《ス・ネ・パ・ル・モマン》！」ファーシュは早口で言った。

「電話してみました」ソフィーはまるでラングドンへの礼儀とでもいうように、英語でつづけた。「でも、電源が切られていて」

「理由があって切ったんだ」ファーシュは声を荒らげた。「ミスター・ラングドンと話していたからな」

「暗号を解読しました」ソフィーは事もなげに言った。

ラングドンは心が沸き立つ思いだった。この女性が暗号を解いたって？

ファーシュはなんと答えてよいのかわからないようだ。

「説明する前に」ソフィーは言った。「ミスター・ラングドンに緊急のメッセージをお伝えしなくては」

ファーシュが落ち着かない顔つきになる。「ミスター・ラングドンに？」

ソフィーはうなずき、ラングドンに向きなおった。「アメリカ大使館に連絡をとってください、ミスター・ラングドン。あなたのお国からメッセージが届いているそうです」

ラングドンは驚いた。暗号が解けた興奮が、突然の不安に掻《か》き消された。アメリカからメッセージ？　いったいだれが自分に連絡をとろうとしたのか。パリにいると知っているのは数人の同僚だけだ。

その知らせにファーシュは幅広の顎《あご》をきつく引いた。「アメリカ大使館だと？」疑わしげに問いかける。「ミスター・ラングドンがここにいると、どうしてわかったんだ」

ソフィーは肩をすくめた。「ホテルに電話をして、ミスター・ラングドンは司法警察に連れられていったと顧客係から聞いたんでしょうね」

ファーシュは怪訝《けげん》な顔をしている。「それで、大使館は司法警察の暗号解読課に連絡したのか？」

「いいえ」ソフィーはきっぱりと言った。「わたしがあなたに連絡をとりたくて司法警察の交換台に電話をかけたとき、ちょうど交換手がミスター・ラングドンへの伝言を預かっていて、あなたにお会いするときにいっしょに伝えるようにと頼まれたんです」

ファーシュは混乱した様子で額に皺《しわ》を寄せた。何か言おうと口をあけたが、ソフィーはすでにラングドンに顔を向けていた。

「ミスター・ラングドン」ソフィーはポケットから小さな紙切れを引き出した。「大使館の伝言サービスの電話番号です。なるべく早くかけてもらいたいと言っていました」意味ありげな目をして紙を渡す。「ファーシュ警部に暗号の意味を説明しますから、そのあいだにご連絡ください」

ラングドンは紙切れをじっと見た。パリ市内の電話番号と内線番号らしい。「ありがとう」だんだん心配になってきた。「電話はどこにありますか」

ソフィーがセーターのポケットから携帯電話をとったが、ファージュがさえぎった。爆発寸前のヴェスヴィウス火山といったところだ。ソフィーから目を離さず、自分の携帯電話を出して差し出した。「この回線は安全だ、ミスター・ラングドン。使うといい」

ファーシュがなぜこの若い女性に腹を立てているのか、ラングドンは不思議に感じた。落ち着かない思いで電話を借りる。ファーシュは数歩離れたところにいたソフィーにいきなり詰め寄り、声をひそめて叱責《しっせき》をはじめた。ラングドンは警部をますます疎ましく思いながら、この妙な対決に背を向けて電話のスイッチを入れた。ソフィーから渡されたメモを見ながらボタンを押す。

呼び出し音が鳴りはじめた。

一回……二回……三回……

ようやく電話がつながる。

大使館の交換手が出ると思ったが、そうではなく留守番電話だった。おかしなことに、テープの声には聞き覚えがある。ソフィー・ヌヴーの声だ。フランス語でこう言っている。

「もしもし、こちらはソフィー・ヌヴーです。ただいま外出しておりますが……」

ラングドンはとまどい、振り返ってソフィーを見た。「すみません、ミズ・ヌヴー。この番号は――」

「それが正しい番号です」ソフィーはラングドンの混乱を見越していたのか、すぐさま言い返した。「大使館には自動伝言システムがあります。メッセージを聞くには、アクセス用の暗証番号を押してください」

ランクドンは目をまるくした。「しかし――」

「お渡しした紙に、三桁《けた》のコード番号があるでしょう」

ラングドンはこのとんでもない誤解について説明しようと口を開きかけたが、ほんの一瞬、ソフィーが鋭い視線を投げてよこした。緑の瞳が明瞭《めいりょう》なメッセージを送っている。

何も尋ねないで。とにかく言うとおりにして。

ラングドンはわけのわからないまま、紙に書かれた内線番号を押した――454。

すぐにソフィーの応答メッセージが途切れ、フランス語の機械的な声が響いた。「新しい用件が一件あります」どうやら454とは、ソフィーが外出先から伝言を聞くための暗証番号らしい。

この女性の伝言を聞くのか？

テープを巻きもどす音がする。やがてテープが止まり、再生がはじまった。ラングドンは流れてきたメッセージに耳を傾けた。ふたたびソフィーの声が響く。

「ミスター・ラングドン」メッセージは怯《おび》えがちなささやき声ではじまった。「このメッセージを聞いても態度を変えないでね。とにかく、しっかり聞いて。あなたはいま、危険にさらされています。わたしの指示に従ってください」

10

導師が用意した黒いアウディの運転席で、シラスは偉大なるサン・シュルピス教会を見つめていた。投光器の明かりに下から照らされて、ふたつの鐘楼が教会堂の細長い建物の上に、屈強な斥候兵よろしくそびえ立っている。どちらの側面にもなめらかな控え壁がいくつか張り出し、陰影を帯びたそのさまは美しい獣の肋骨《ろっこつ》のように見える。

邪悪な者どもは神の家にキー・ストーンを隠した。音に聞こえたまやかしと策謀の歴史が、またも事実だと判明した。キー・ストーンを見つけて導師に渡し、あの組織が遠い昔に敬虔《けいけん》な信者たちから奪ったものを取りもどさなくては。

それがあれば、オプス・デイはどれほど強大な力を手にできることか。

人通りのないサン・シュルピス広場にアウディを停めて大きく息を吐き、これから取りかかる仕事に気持ちを集中させようとした。肉の苦行をおこなったせいで、広い背中がまだ痛む。だが、オプス・デイに救われる以前の人生で味わった苦しみを思えば、こんなものは高が知れている。

昔の記憶は、いまだに頭から離れなかった。

憎しみを忘れろ。シラスは自分に言い聞かせた。おまえを踏みつけた者たちを許せ。

サン・シュルピス教会の石造りの塔を見あげながら、シラスはいつもの暗流と闘っていた。それは強い力で心を過去へ引きもどし、若き日に世界のすべてだったあの監獄にふたたび自分を閉じこめる。いつもと同じく、その記憶は嵐のように五感を襲う。腐ったキャベツの悪臭と、死や糞尿《ふんにょう》のにおい。吹きすさぶピレネーの風を突く絶望の叫びと、忘れ去られた男たちのわびしいすすり泣き。

アンドラ。思い出すと筋肉がこわばるのがわかる。

スペインとフランスにはさまれた不毛の小国。石の監房で震え、ただ死ばかりを願っていたとき、信じられないことにシラスは救われた。

そのときは気づかなかった。

光が訪れたのは、雷鳴のはるかあとだ。

当時はシラスという名ではなかったが、親から与えられた名前は思い出せない。七歳のときに家を出た。たくましい港湾労働者だった父親は大酒飲みで、色素欠乏症の息子が生まれると激昂《げっこう》し、それを妻のせいにして再三殴りつけた。母を庇《かば》おうとする息子もまたひどく殴られた。

ある夜、すさまじい争いがあり、母は二度と起きあがらなかった。少年は死んだ母のそばに立ち、阻止できなかったことへの耐えがたい罪悪感に苛《さいな》まれた。

ぼくのせいだ！

まるで悪魔のたぐいに体を支配されたがごとく、少年は台所へ行って肉切り包丁をつかんだ。そして取り憑《つ》かれたように、父の酔いつぶれている寝室へと向かった。何も言わず、父の背中を刺した。痛みに叫び声をあげてのたうつ父を、少年はまた刺した。部屋が静寂に陥るまで、何度も何度も。

少年は家から逃げ出したが、マルセイユの路上でも冷たく迎えられた。その外見のために若い放浪者たちからも仲間はずれにされ、波止場で盗んだ果物や生魚を食べながら、荒れ果てた廃工場の地下でひとり過ごした。友と言えばごみの山で見つけたぼろぼろの雑誌だけで、そこから字を覚えた。少年は徐々にたくましくなった。十二歳のとき、倍ぐらい年かさのホームレスの女が因縁をつけ、食べ物を奪おうとしたが、少年は女を叩《たた》きのめして半殺しにした。少年は警察に取り押さえられ、最後通告を受けた――マルセイユを去るか、少年刑務所にはいるか。

そこで、海岸沿いにトゥーロンへと移った。やがて、路上で浴びせられる視線が憐《あわ》れみから恐怖のそれへ変わっていく。少年は屈強な若者に育っていた。人々が通り過ぎるときにささやき合うのが聞こえた。幽霊だぞ。真っ白な肌を凝視し、恐怖に目を見開いて言う。悪魔の瞳《ひとみ》を持った幽霊め！

少年も自分が透明な幽霊であるかのように感じながら、港から港へと漂った。自分の姿を人々が透かして見ている気がした。

十八歳のころ、ある港町で貨物船からハムをひと箱盗もうとして、乗組員ふたりに捕まった。自分に殴りかかるその男たちから、父と同じビールのにおいがした。恐怖と憎しみの記憶が怪物のように深みから頭をもたげ、少年はひとりの首を素手でへし折った。もうひとりは同じ目に遭う寸前にどうにか警察に救われた。

二か月後、少年は手《て》枷《かせ》足枷につながれてアンドラの監獄に着いた。

おまえ、幽霊並みに白いな。冷えきった裸の男を看守が連れてきたとき、囚人たちはあざけった。あの幽霊を見ろ《ミラ・エル・エスペクトロ》！　幽霊ならきっと壁を通り抜けられるぜ！

十二年がたち、自分がほんとうに透明になったかと思うほど、肉体も魂も衰えた。

おれは幽霊だ。

おれには重さがない。

おれは幽霊だ《ジョ・ソイ・ウネスペクトロ》……幻影のように青白い《パリド・コモ・ウン・ファンタスマ》……世界をひとりぼっちで歩く《カミナンド・エステ・ムンド・ア・ソラス》……

ある夜、ほかの囚人たちの叫び声で目覚めた。床を揺さぶる目に見えぬ力がなんだったのかも、監房の石壁を埋めるモルタルを震わせるのがどんな偉大な手なのかもわからないが、飛び起きたとき、自分が寝ていたまさにその場所に大きな石が落ちてきた。見あげると、揺れる壁に穴があいているのがわかった。そしてその向こうに、十年以上目にしなかったものが見える。月だ。

まだ地面の揺れもおさまらぬうちに、せまい穴をくぐって広々とした景色のなかへ抜け出し、山間《やまあい》の荒れ野から森へと転がるように駆けていった。空腹と疲れで朦朧《もうろう》としつつも、下り坂をひと晩じゅう走りつづけた。

無意識との狭間《はざま》をさまよいながら、明け方には、森が切り開かれて鉄道線路が通る一角に着いた。夢うつつのまま線路伝いに歩く。空《から》の貨物車両を見つけ、ねぐらを求めてもぐりこんだ。目が覚めたとき、列車は動いていた。どれだけ時間がたったのか。どこまで来たのか。腹が痛くなってきた。自分は死ぬのだろうか。ふたたび眠る。つぎに気がついたときには、何者かに怒鳴られ、殴られ、車両からほうり出された。血を流しながら小さな村のはずれを歩きまわったが、食べ物を探し出せない。とうとう力尽きて一歩も動けなくなり、道端に身を横たえるや意識を失った。

光はゆっくりと訪れた。死んでからどのくらいたったのだろう、と思った。一日、それとも三日？　どうでもよかった。ベッドは雲のように柔らかく、あたりの空気は甘い蠟燭《ろうそく》の香りがする。イエスがそこにいて、自分を見おろしていた。わたしはここにいます、とイエスは言った。石が動き、あなたは生まれ変わったのです、と。

彼は眠り、また目を覚ました。思考は靄《もや》に包まれている。天国など信じたことがないのに、イエスに見守られている。食事がベッド脇に置かれ、彼はそれを食べた。骨のまわりに肉が形作られていくのが感じられるほどだ。ふたたび眠りに落ちた。目をあけたとき、イエスが微笑みながらこう語りかけた。息子よ、あなたは救われました。わたしの道に従う者には幸があります。

彼はまた眠った。

苦悶《くもん》の叫びが聞こえ、まどろみが断ち切られた。ベッドから跳ね起き、声のするほうへと廊下を突き進んだ。台所にはいると、大男が別の男を殴っていた。理由がわからぬまま、彼は大男につかみかかり、思いきり壁に叩きつけた。大男は逃げ、彼は残された司祭服姿の若い男に歩み寄った。鼻を砕かれて血まみれの司祭を抱きあげ、ソファーへ運んだ。

「友よ、ありがとう」司祭はぎこちないフランス語で言った。「泥棒が献金をねらうのだよ。あなたは寝言でフランス語をしゃべっていた。スペイン語はわかるだろうか」

彼は首を横に振った。

「名前は?」司祭はたどたどしいフランス語でつづけた。

彼は親がつけた名前を覚えていなかった。監獄の看守たちに呼ばれるひどい仇名《あだな》しかわからない。

司祭は笑みを漂わせた。「問題はない《ノ・アイ・プロブレマ》。わたしはマヌエル・アリンガローサ。マドリードの宣教師だよ。ここに来たのは、神の御業《オブラ・デ・ディオス》の教会を建てるためだ」

「ここはどこだ」うつろな声で尋ねる。

「オビエドだよ。スペイン北部の」

「おれはどうしてここに?」

「だれかが戸口に運んできたのだよ。あなたは具合が悪かった。食べ物を出したのはわたしだ。もう何日にもなる」

彼は世話をしてくれた若い司祭を見つめた。人から親切にされたのは何年ぶりだろう。「ありがとう、神父さん」

司祭は血のついた自分の唇にふれた。「礼を言うべきなのはこちらだよ」

朝になって目覚めたとき、彼は事態をはっきり悟った。ベッドの上の壁に掲げられた十字架像を見あげる。もう話しかけてはこないものの、それがあることに安らぎを感じた。体を起こしたとき、驚いたことに、ベッド脇のテーブルに新聞の切り抜きが置かれているのがわかった。記事はフランス語で、一週間前のものだ。読み終えると恐怖が全身を貫いた。山岳地帯で地震があり、監獄が崩壊して危険な犯罪者がおおぜい逃げたと書かれている。

心臓が早鐘を打ちはじめた。司祭はこちらが何者かを知っている！　そのときの気持ちは、しばらく忘れていたものだった。恥じらい。罪悪感。それらが、捕まるかもしれない恐怖と混じり合っている。彼はベッドから飛び出した。どこへ逃げる？

「使徒行伝《しとぎょうでん》を」戸口から声が響いた。

彼は怯《おび》えつつ振り向いた。

司祭が微笑んではいってきた。鼻に不恰好《ぶかっこう》に包帯を巻き、一冊の古い聖書を差し出している。「フランス語版を見つけたよ。章にしるしをつけてある」

よく呑《の》みこめないまま、彼は聖書を手にとって、司祭がしるしをつけた章を見た。

使徒行伝十六章。

そこには、鞭《むち》で打たれて牢《ろう》へ入れられたシラスという囚人が、神への賛美の歌をうたったと書かれていた。二十六節まで来ると、彼は衝撃に息を呑んだ。

〝……にわかに大いなる地震起こりて獄舎の土台震え動き、その戸たちどころにみな開け……〟。

目を司祭に注いだ。

司祭はやさしく笑った。「友よ、ほかに名前がないのであれば、これからシラスと呼ばせてもらおう」

彼は呆然《ぼうぜん》とうなずいた。シラス。自分は肉体を与えられた。わが名はシラス。

「さあ、朝食の時間だ」司祭は言った。「この教会を築く手伝いをしてくれるとしたら、力をつけてもらわないと」

地中海の上空二万フィートでは、乱気流に揺さぶられるアリタリア航空一六一八便のなかで、乗客たちが不安な時間を過ごしていた。アリンガローサ司教は周囲の様子にほとんど気づいていなかった。頭のなかはオプス・デイの将来のことでいっぱいだ。パリでの計画の進み具合が知りたくて、シラスに電話をかけたくてたまらないが、それは導師から固く禁じられている。

「あなたの安全のためです」導師はフランス語訛《なま》りの英語で言ったものだ。「わたしは電子通信に精通していますが、この手のものは傍受される恐れがありましてね。あなたにとっては身の破滅につながりかねない」

そのとおりだ。導師は極端に用心深い人物らしい。かつてこの男は、自分の素性を明かさないまま、指示に従う価値のある人間だと証明してみせた。どんな手を使ったのかわからないが、途方もない極秘情報を手に入れていた。あの組織の頂点に立つ四人の名前。導師は驚くべきものを掘りあてるつもりだと宣したが、それが口先だけではないと司教が信じるに至った理由のひとつは、その情報である。

「司教」導師は言った。「手筈《てはず》はすべて整えました。計画を成功させるには、数日間、シラスをわたしの指示だけに従わせる必要があります。あなたは連絡を控えていただきたい。わたしが安全な手段で伝えます」

「敬意をもって接してくれるだろうな」

「信仰の篤《あつ》い者は最大の敬意に値します」

「ありがたい。では、承知した。この件が片づくまで、わたしはシラスとの連絡を絶つ」

「あなたとシラスそれぞれの立場、そしてわたしの情熱を守るためです」

「情熱？」

「あなたが進捗《しんちょく》状況をあまりに知りたがって投獄でもされたら、わたしに報酬を支払えません」

司教は微笑んだ。「なるほど。われわれの望みはひとつだ。成功を祈ろう」

二千万ユーロか。飛行機の窓の外を見つめながら、司教は考えた。米ドルでもほぼ同じ数字になる。それによって与えられる力の大きさを考えたら、安いものだ。導師とシラスがしくじるはずはない、とあらためて確信した。金と信仰は強力なよりどころだ。

11

「ユヌ・プレザントリー・ニュメリーク？」ベズ・ファーシュはこらえきれず、不信をみなぎらせた顔でソフィー・ヌヴーをにらみつけた。数字の遊びだと？「専門家として、ソニエールの暗号はある種の数学的な遊戯だったと結論づけるのか？」

この女はどこまで厚かましいのか、どうにも理解できない。許可もなく割りこんできたあげく、ソニエールがいまわの際で書き残そうとしたのは数字を使った冗談だと主張するなんて。

「この暗号は」ソフィーは早口のフランス語で言った。「ばかばかしいほど単純なものです。すぐに見破られると本人もわかっていたにちがいありません」セーターのポケットから紙片を取り出し、ファーシュに渡す。「これが答です」

ファーシュは紙を見た。

1-1-2-3-5-8-13-21

「これだけか？」ファーシュは叫んだ。「数字を小さい順に並べ替えただけじゃないか！」

ソフィーは大胆にも満足げな笑みを浮かべた。「そうです」

ファーシュは喉《のど》を絞るような低い声で言った。「ヌヴー捜査官、どういうつもりか知らないが、早く要点を言うんだ」そばにいるラングドンを気にして目を向けた。電話を耳に押しつけ、まだ大使館からのメッセージを聞いているらしい。血の気の引いたその顔からすると、悪い知らせではないだろうか。

「警部」ソフィーの口調は挑発的なほどだった。「お手もとにある数字の並びは、歴史上最も有名な数列のひとつですよ」

ファーシュはそもそも、有名と呼ばれる数列が存在することさえ知らなかったし、ソフィーの小ざかしい口ぶりも気に食わなかった。

「フィボナッチ数列です」ソフィーはファーシュが手にしている紙へ顎《あご》を向けた。「それぞれの項の値が、先行するふたつの項の和に等しいという性質を持っています」

ファーシュは数の列をじっと見た。たしかに、どの数も直前にあるふたつの数の和になっている。しかし、それがソニエールの死とどう関連しているのかは見当もつかなかった。

「十三世紀にレオナルド・フィボナッチという数学者が考えたものです。床に書かれたすべての数字がこの有名な数列に含まれるわけですから、偶然ではありえません」

ファーシュはしばしソフィーを見据えた。「いいだろう。では、偶然でないとしたら、ジャック・ソニエールがこんなものを書いた理由を説明してくれ。何を言おうとしたのか。どういう意味なのか」

ソフィーは肩をすくめた。「意味などまったくありません。これは暗号を使ったごく簡単なジョークです。有名な詩の各単語の順序を並べ替えて、すべての単語に共通する点は何かをあてさせる遊びと似ています」

ファーシュは威圧するように前へ出て、ソフィーの顔から数インチのところまで顔を近づけた。「そんな戯言《たわごと》ではなく、しっかり納得のいく説明を聞きたいものだな」

ソフィーはそれに負けじと、やさしい顔立ちを驚くほど険しくさせた。「今夜の状況を考えたら、ジャック・ソニエールが単なるゲームに興じていたとわかって、喜んでくださるかと思っていました。どうやらちがうようですね。あなたがこれ以上の協力を必要としていないと課長に報告しておきます」

そう言ってきびすを返し、来た道をもどっていった。

ファーシュは啞然《あぜん》として、ソフィーが暗闇へ消えるのを見守った。あの女、正気か？　いまのふるまいは職業上の自殺行為《スイスイド・プロフェショネル》にほかならない。

ラングドンはまだ電話中で、一段と心配そうな顔で伝言に聞き入っている。アメリカ大使館か。ファーシュがきらうものは数多いが、アメリカ大使館への憎悪は格別だった。

ファーシュとアメリカ大使館は、互いの国務をめぐってしじゅう角突き合わせている。たいていはアメリカ人渡航者の法的処置に関する問題だ。司法警察はほぼ毎日アメリカ人を逮捕する。麻薬を所持していた交換留学生、未成年者との淫行《いんこう》に及んだビジネスマン、万引きや器物破損に手を染めた旅行者などだ。大使館は合法的に介入して、犯罪者を自国へ送還することができる。母国ではごく軽い刑罰しか科せられない。

そして、大使館はつねに介入する。

司法警察の去勢《エマスキュラシオン》。ファーシュはそう呼んでいる。最近《パリ・マッチ》誌に、ファーシュを警察犬に見立てた風刺漫画が載った。アメリカ人犯罪者に噛《か》みつこうとするが、大使館に鎖でつながれているために届かない絵だ。

今夜はそうはさせない。ファーシュは心に誓った。あまりに多くの問題がこの件にかかっている。

ロバート・ラングドンが電話を切った。気分が悪そうに見える。

「だいじょうぶか」ファーシュは訊《き》いた。

ラングドンは弱々しくかぶりを振った。

悪い知らせか。携帯電話を受けとったとき、ファーシュはラングドンがわずかに汗をかいているのに気づいた。

「事故がありまして」ラングドンは小声で言い、複雑な表情でファーシュを見た。「友人が……」口ごもる。「朝一番で帰らなくては」

衝撃を受けているのは疑うべくもないが、その顔からは別の感情も見てとれた。まるで、かなたの恐怖が突然目に浮かびあがったかのようだ。「それは気の毒に」ファーシュは言い、ラングドンをしげしげと見た。「すわるといい」ギャラリーにあるベンチのひとつを指す。

ラングドンはぼんやりとうなずき、ベンチへ二、三歩近づいて立ち止まった。刻一刻と混乱の度合いが増すようだ。「いや、それよりトイレへ行かせてください」

ファーシュは内心、これ以上時間を費やすのは避けたかった。「トイレか。いいとも。少し休憩しよう」長い廊下の、自分たちが歩いてきた方向を指さす。「トイレは館長執務室のほうへもどる途中にある」

ラングドンはためらい、反対にグランド・ギャラリーの奥へ指を向けた。「あちら側のトイレのほうが近いのでは？」

そのとおりだった。ここはグランド・ギャラリーの入口から端へ至るまでの三分の二ほどの位置で、このまま進んだ奥にもトイレがある。「付き添いは必要かな」

すでに奥へと歩きはじめていたラングドンは、首を横に振った。「平気です。しばらくひとりにさせてください」

ラングドンが進んでいくのを、ファーシュは意に介さなかった。グランド・ギャラリーの出入口はひとつしかなく――先刻くぐったゲートだけだ――この奥は行き止まりなので、問題はない。これだけ大きな空間だから、消防法の規定によって非常口が数か所に設けられているけれど、ソニエールがセキュリティ・システムを作動させた時点でそれらも自動的に封鎖された。システムはすでにリセットされ、非常口のロックも解除されているが、それは問題にならない――ドアが開けば警報が鳴るし、外は捜査官たちによって固められている。こちらに悟られずにラングドンが抜け出すことはできない。

「わたしはひとまずソニエールの執務室へもどる」ファーシュは言った。「そこまで来てくれ、ミスター・ラングドン。もう少し話したいことがある」

ラングドンはわかったと手で合図して、暗がりへ姿を消した。

ファーシュはそれに背を向け、逆方向へ腹立たしげに歩きだした。ゲートまで来て下をくぐり、グランド・ギャラリーを出たあと、司令室となっているソニエールの部屋へ突進した。

「ソフィー・ヌヴーを通したのはどいつだ！」ファーシュは怒鳴った。

コレが最初に口を開いた。「彼女は外の警備の者に、暗号を解いたと告げたんです」

ファーシュは室内を見まわした。「帰ったのか？」

「いっしょではなかったんですか」

「出ていった」ファーシュは暗い廊下に目をやった。ソフィー・ヌヴーは帰りがけに立ち寄って雑談をする気分ではなかったらしい。

一瞬、半地下階にいる警備の者に無線で連絡して、ソフィーが建物から出ていく前に連れもどせと命じようかと思った。しかし、思いなおした。要はこちらのプライドが傷つけられたわけで、ひとこと毒づいてやりたいだけだ。今夜は苛《いら》つくことばかり起こっている。

あの女の件はあとでいい。くびにしてやるから待っていろ。

ソフィー・ヌヴーのことを頭から追い出し、ソニエールの机に立つ騎士の小像をしばらく見つめた。それから振り返ってコレを見た。「やつはいるな?」

コレは小さくうなずき、ノート型パソコンの画面をファーシュに向けた。間取り図の上に赤い点がはっきり見える。〝一般用トイレ《トワレット・ピュブリーク》〟と書かれた部分で、規則正しく明滅していた。

「よし」ファーシュは言い、煙草に火をつけて廊下へ足を踏み出した。「電話をかけてくる。ラングドンをトイレ以外の場所へ行かせないよう、しっかり見ていろ」

12

ラングドンは茫然《ぼうぜん》自失のていで、足どりも重くグランド・ギャラリーのさらに奥へ向かっていった。ソフィーの留守番電話のメッセージが繰り返し胸によみがえる。通路の突きあたりでは、万国共通のトイレのしるしである男女の絵が光っており、その先にはイタリアの素描を飾った仕切り板が迷路のように配されて、トイレを視界から隠していた。

男性用トイレのドアを見つけ、中にはいって明かりをつけた。

だれもいない。

洗面台の前へ進み、冷たい水を顔にかけて目を覚まそうとした。蛍光灯の光が飾り気のないタイルをまぶしく照らし、あたりにはアンモニアのにおいが漂っている。顔を拭《ふ》いたとき、背後でドアがきしみを立てて開いた。ラングドンは振り向いた。

ソフィー・ヌヴーがはいってきた。緑の瞳《ひとみ》に怯《おび》えがちらついている。「来てくれてよかった。時間がないの」

洗面台の前に立ったまま、ラングドンは当惑のまなざしでソフィーを見つめた。司法警察の暗号解読官。ほんの数分前、現れたばかりのこの女のメッセージを聞きはじめたときは、頭がどうかしているのかと思った。だが耳を傾けているうち、相手が本気だとわかった。〝このメッセージを聞いても態度を変えないでね。とにかく、しっかり聞いて。あなたはいま、危険にさらされています。わたしの指示に従ってください〟。疑念はあるものの、ラングドンは従うことにした。ファーシュには、母国で友人が事故に遭ったという知らせだと告げ、それからグランド・ギャラリーの奥のトイレを使わせてくれと頼んだのだった。

ソフィーが目の前に立った。トイレまで急いで逆もどりしたので、まだ息が乱れている。強靭《きょうじん》さをまといながらも、蛍光灯の明かりを浴びたその顔が意外にも柔らかな表情をたたえているのに気づき、ラングドンは驚いた。視線だけが鋭く、その対比が色彩を重ねたルノワールの肖像画を髣髴《ほうふつ》させる。ベールに包まれたようでありながら鮮明な、どこか謎めいた大胆さを備えている。

「なんとしても伝えたかったのよ、ミスター・ラングドン」ソフィーは息を切らせたまま話しはじめた。「あなたは司法警察の厳重な監視下にあるの」かすかな癖のある英語がタイルの壁に跳ね返り、声がうつろに響く。

「しかし……なぜ？」理由はすでに留守番電話のメッセージで語られていたが、本人の口からもう一度聞きたかった。

「それは」ソフィーはラングドンの前へ進み出た。「あなたがこの殺人事件の第一容疑者だから」

　予期したとおりのことばだったが、やはりとんでもなくばかげて感じられた。ソフィーが言うには、ラングドンが今夜ルーヴルに呼ばれたのは象徴学者としてではなく、容疑者としてだった。そして気づかぬうちに、司法警察が得意とする尋問の手法——隠密監視《シュルベイヤンス・カシエ》——の対象にされていたらしい。それは警察が容疑者をさりげなく犯罪現場に招き、不安を感じた容疑者がうっかり有罪の証拠を口にしたところを捕らえる、巧みな策略だという。

「上着の左ポケットを見て」ソフィーは言った。「監視されている証拠がはいってるわ」

　ラングドンは恐怖がこみあげるのを感じた。ポケットを見る？　まるで安っぽい魔術のトリックだ。

「とにかく見て」

　困惑しつつ、ラングドンはツイードの上着の左ポケットへ手を入れた——ふだんは使わないポケットだ。中を探っても何もない。いったい何が出てくるって？　やっぱりソフィーは正気ではないのだろうか。そのとき、指が何か妙なものにふれた。小さくて硬い。そのちっぽけな物体をつまみあげ、驚きの目で観察した。ボタンのような形の金属の円盤で、大きさは腕時計のバッテリーほどだ。こんなものは見たことがない。「これは……」

「GPS追跡用発信機」ソフィーが言った。「全地球測位システム《GPS》を利用して現在地の情報を発信する装置よ。司法警察が人の所在を監視するときに使うの。地球上のどこにいても誤差は二フィート以内。あなたは電子の鎖につながれている。ホテルへ迎えにいった捜査官が、あなたが部屋を出る前にポケットに忍ばせたのね」

ラングドンはホテルの部屋での出来事を思い起こした。急いでシャワーを浴び、服を身につけて、部屋を出るとき、司法警察の捜査官が丁重にツイードの上着を差し出した。捜査官は言ったものだ。外は冷えますよ、ミスター・ラングドン。パリの春は、あなたの国の歌でほめたたえているものとは大ちがいですから。ラングドンは礼を言って上着を着た。

ソフィーのオリーブ色の目は鋭かった。「発信機のことをさっき言わなかったのは、警部の前でポケットをたしかめてもらいたくなかったから。見つけたことを悟られてはまずいもの」

ラングドンはどう答えていいのかわからなかった。

「あなたに発信機をつけたのは、逃げるかもしれないと思ったからよ」ソフィーは間をとった。「実のところ、逃げることを期待していたはずよ。そのほうがあちらには都合がいいから」

「逃げるものか！」ラングドンは言った。「わたしは犯人じゃない！」

「ファーシュはそう思っていないわ」

ラングドンは腹立ちまぎれに、ごみ箱へ発信機を捨てようとした。

「だめよ！」ソフィーは腕をつかんで止めた。「ポケットに入れたままにして。捨てたら信号が停止して、こちらが発信機を見つけたことを知られてしまう。ファーシュがあなたをひとりにしたのは、居場所を探知できるからなのよ。あちらの思惑にあなたが気づいたとわかったら……」ソフィーは終わりまで言わなかった。かわりにラングドンの手から発信機を取りあげ、ツイードの上着のポケットへもどした。「放さずに持っていて。しばらくのあいだは」

ラングドンは途方に暮れた。「わたしがジャック・ソニエールを殺したなんて、ファーシュはなぜ思ってるんだ！」

「疑うに足る大きな理由があるからよ」ソフィーの顔つきはきびしい。「あなたがまだ見ていない証拠があるの。それをファーシュが注意深く隠してる」

ラングドンは目を瞠《みは》るばかりだった。

「被害者が床に書き残した三行のことばを覚えてる？」

ラングドンはうなずいた。数字もことばも脳裏に刻みこまれている。

ソフィーは声を落として言った。「残念ながら、メッセージはあれだけじゃなかった。四行目があったの。ファーシュはそれを写真に撮って、あなたが来る前に消したのよ」

あのペンの水溶性インクが簡単に拭きとれるのは知っているが、なぜファーシュが証拠を消したのか、ラングドンには想像もつかなかった。

「最後の行の内容を」ソフィーが言った。「ファーシュはあなたに知られたくなかった。少なくとも、決着がつくまではね」

ソフィーはプリントアウトをセーターのポケットから取り出し、ひろげてみせた。

「ファーシュはさっき、現場の写真を暗号解読課に送信してきた。これにはメッセージ全体が写ってるわ」そう言って紙を手渡した。

ラングドンはとまどいながら画像を見た。寄せ木張りの床に、光る文字で書かれたメッセージが大写しになっている。最後の行を読んで、ラングドンは腹を蹴《け》られた気分になった。

13-3-2-21-1-1-8-5
O, *Draconian devil!*
Oh, lame saint!
P. S. Find Robert Langdon

13-3-2-21-1-1-8-5
おお、ドラコンのごとき悪魔め！
おお、役に立たぬ聖人め！
P.S.ロバート・ラングドンを探せ

13

ソニエールの追伸を、ラングドンはしばし驚きの目で見つめた。〝P．S．ロバート・ラングドンを探せ〟。足もとの床が揺れている気がする。自分の名を、ソニエールが追伸に記した？　どれだけ突飛な想像をしようと、理由が思いあたらない。

「これで納得できたでしょう」ソフィーが急き立《せ》てるような目をして言った。「なぜファーシュが今夜あなたを呼びつけたのか、なぜあなたが第一容疑者なのか」

いまのところ納得できたのは、ソニエールは犯人の名前を書いてしかるべきだとこちらが言ったときに、ファーシュがずいぶん満足げだった理由だけだ。

――ロバート・ラングドンを探せ。

「ソニエールはなぜこんなことを？」混乱は怒りへ変わりつつあった。「どうしてわたしがジャック・ソニエールを殺さなきゃならないんだ」

「ファーシュもまだ動機までは考えていない。だけど、あなたが何か漏らすと踏んで、今夜の会話をすべて録音してるわ」

ラングドンは口をあけたが、ことばが出てこなかった。

「ファーシュは小型マイクを身につけてるの」ソフィーが説明する。「ポケットの送信機につないであって、そこから無線で司令室に飛ばしてる」

「冗談じゃない」ラングドンは舌をもつれさせた。「わたしにはアリバイがある。講演のあとはまっすぐホテルに帰ったよ。フロントに尋ねればわかる」

「もう尋ねたわ。ファーシュの報告書には、あなたが部屋の鍵《かぎ》を十時半ごろに顧客係から受けとったとあった。残念ながら事件の起こった時刻は十一時近くなの。だれにも見られずに部屋を抜け出す余裕はじゅうぶんあったというわけ」

「ばかげてる！　なんの証拠もないじゃないか！」

　そうだろうか、と言わんばかりにソフィーは目を見開いた。「ミスター・ラングドン、死体のそばの床にあなたの名が残されて、被害者のスケジュール帳には事件とほぼ同じ時刻にあなたと会うと記されていたのよ」ひと呼吸置く。「ファーシュからすれば、あなたを勾留《こうりゅう》するのにじゅうぶんすぎるほどの証拠がある」

　弁護士を呼ぶべきだ、とラングドンはにわかに思った。「わたしはやっていない」

　ソフィーはため息をついた。「これはアメリカのテレビ番組じゃないのよ、ミスター・ラングドン。フランスでは、法は犯罪者じゃなくて警察を守るの。あいにくこの事件の場合は、メディアの反応も考慮しなくてはならない。ジャック・ソニエールはパリじゅうの人たちに好かれている有名人よ。殺されたとなると朝には大ニュースになる。ファーシュはすぐに声明を出さざるをえないわけだけど、その時点ですでに容疑者を勾留しているほうがはるかに体裁がいい。有罪であろうとなかろうと、事件の真相が明らかになるまで司法警察があなたを手放さないのは確実ね」

ラングドンは自分がかごに入れられた動物になった気がした。「きみはなぜそんなことまで教えてくれるんだ」

「無実だと信じてるからよ」ソフィーは一瞬目をそむけ、ふたたびラングドンの目を見た。「それに、あなたが巻きこまれたのはわたしのせいでもあるから」

「なんだって？　ソニエールがわたしを陥れようとしたのが、きみのせい？」

「あなたを陥れようとしたんじゃないわ。そんなつもりはなかった。床のメッセージはわたしに宛てて書かれたものなの」

そのことばの意味を呑《の》みこむには少々時間がかかった。「いまなんと言った？」

「あのメッセージは警察のために残したんじゃない。わたしのためなのよ。きっと何もかも大急ぎでやらざるをえなくて、警察の目にどう映るかまでは頭がまわらなかったんだわ」ソフィーはことばを切った。「数字の暗号には意味がないの。あれを書いたのは、捜査にかならず暗号解読官が加わるよう仕向けるため。自分の身に起こったことを、できるだけ早くわたしに知らせようとしたのよ」

ラングドンはますます途方に暮れた。ソフィー・ヌヴーが正気を失っているかどうかは、この際どうでもよい。けれども、ソフィーが援助してくれる理由はようやく理解できた。〝P. S. ロバート・ラングドンを探せ〟。どうやらソフィーは、この謎めいた追伸をソニエールが彼女に宛てたと信じている。「でも、なぜこのメッセージがきみに向けられたものとわかるんだ」

「〈ウィトルウィウス的人体図〉よ」ソフィーはきっぱりと言った。「あの素描はダ・ヴィンチのなかでも、昔からわたしの大好きなものだった。だから今夜、わたしの注意を引くためにそれを使ったのよ」

「待ってくれ。ソニエールはきみの好きな絵を知っていたのか？」

ソフィーはうなずいた。「ごめんなさい。順序がでたらめだったわね。ジャック・ソニエールとわたしは……」

ソフィーの声が詰まる。急にもの悲しさがにじみ、つらい過去がいまにも浮かびあがりそうに見えた。ソフィーとソニエールはなんらかの特別な関係にあったのだろう。ラングドンは目の前にいる美しく若い女性を観察した。フランスの年輩の男は若い愛人を持つことが多いと聞く。とはいえ、囲い女《め》としてのソフィー・ヌヴーの姿を想像するのはむずかしかった。

「十年前に仲たがいして」ソフィーは声を落とした。「それからほとんど口をきいてないわ。今夜、ジャック・ソニエールが殺されたと解読課に連絡があって、死体の写真と床の文字を見たとき、わたしにメッセージを送ろうとしたんだとわかったの」

「〈ウィトルウィウス的人体図〉で？」

「ええ。それに、P．S．とあったから」

「追伸、だろう？」

ソフィーはかぶりを振った。「P．S．はわたしの頭文字なの」

「でも、きみの名はソフィー・ヌヴーだ」

ソフィーは目をそらした。「P．S．はいっしょに住んでいたころのわたしの愛称なの」顔を赤らめる。「〝プリンセス・ソフィー〟の頭文字よ」

ラングドンは何も言わなかった。

「ばかみたいだわね」ソフィーは言った。「だけど、何年も前のことよ。わたしがまだ小さかったころ」

「小さいときから知り合いだったのか？」

「よく知ってたわ」こみあげる感情のせいで、ソフィーの目には涙がたまっていた。

「ジャック・ソニエールはわたしの祖父なの」

14

「ラングドンはどこにいる」煙草の煙の最後の一片を吐き出しながら、ファーシュが司令室にもどってきた。

「まだトイレにいます」コレ警部補はその質問を予測していた。

ファーシュが低い声でぼやく。「ずいぶんのんびりだな」

その目がコレの肩越しにGPSの赤い点に注がれた。車を発進させる音がいまにも聞こえそうだ、とコレは思った。警部は様子を見にいきたい衝動と闘っているのだろう。監視の対象には、なるべく時間と自由を与えるほうがいいとされている。安心させて、みずからの意志に立ち返らせる必要があるからだ。それにしても、もう十分近くたつ。

長すぎる。

「ラングドンが感づいた可能性は？」ファーシュが尋ねた。

コレは首を横に振った。「トイレのなかで点がかすかに動いていますから、まだ身につけていますよ。気分でも悪いんじゃないでしょうか。もし発信機を見つけたら、はずして逃げようとするはずです」

ファーシュは腕時計を見た。「そうだな」

それでも気になってしかたがないらしい。今夜ははじめから、警部がいつになく緊張しているとコレは感じていた。どんな重圧のもとでも超然として冷静なのに、今夜はまるでこれが私的な問題であるかのように意気ごんでいる。

驚くにはあたらない。この件では、なんとしても犯人を逮捕したいのだろう。近ごろ、ファーシュの強引な手法や、主要国大使館との衝突や、採算をまったく無視した最新のテクノロジーへのこだわりを、閣僚やメディアがおおっぴらに叩《たた》くようになった。もし今夜、ハイテクを駆使して華々しくアメリカ人を逮捕すれば、反対勢力を封じこめることができる。そうなったら、あと数年はいまの地位が安泰で、やがて退職して年金をたっぷり受けとれる。年金にありつきたいのは言うまでもない。ハイテクに夢中になるあまり、ファーシュは公私両面において大きな打撃を受けている。数年前、蓄えをそっくりテクノロジー産業への投資につぎこんだあげく、大損をしたという噂だ。何よりも贅沢《ぜいたく》を好む男なのに。

今夜は時間がたっぷりある、とコレは思った。ソフィー・ヌヴーの妙な横槍《よこやり》でけちがついたものの、大きな影響はない。あの女は帰ったし、ファーシュにはまだ切るべきカードが残っている。やがて、被害者のかたわらにラングドンの名が記されていたという事実を本人に突きつける瞬間が訪れる。〃ロバート・ラングドンを探せ〃。そのささやかな証拠にあのアメリカ人がどう反応するかは、なかなかの見ものだ。

「警部」部屋の奥から、ひとりの捜査官が呼びかけた。「この電話には出ていただくほうがいいと思います」怪訝《けげん》そうな面持ちで受話器を差し出す。

「だれだ」ファーシュは言った。

捜査官は眉根《まゆね》を寄せた。「暗号解読課の課長なんですが」

「どうした」

「ソフィー・ヌヴーの件です。いささか妙な話でして」

15

時間だ。

黒いアウディからおり、ゆったりとした法衣を夜風にそよがせる。シラスは力がみなぎるのを感じた。変化の風が湧き起こっている。これから取りかかる仕事には強さよりも巧みさが必要だ。導師から渡された十三発装弾のヘッケラー＆コッホUSP40は、車に置いていくことにした。

死の凶器は神の家にふさわしくない。

この時間、サン・シュルピス教会の前の広場には人通りがなく、反対側の端で十代の娼婦《しょうふ》が二、三人、深夜に出歩く観光客を相手に売り物を披露している姿が見えるだけだ。その若い肢体に、なじみの渇望がシラスの下腹部を疼《うず》かせた。ひとりでに腿《もも》に力がはいり、棘《とげ》のあるシリスのベルトが肉に強く食いこむ。

欲望はすぐに消え去った。シラスはもう十年のあいだ、性欲にふける行為はたとえ自己処理であろうと断じて否定してきた。それこそが〝道〟だ。神の御業《オプス・デイ》に従うために多くを犠牲にしてきたが、それよりはるかに多くの見返りを受けてもいる。貞潔の誓いと個人財産の放棄など、犠牲のうちにはいらない。子供のころのあの貧しさや、監獄で耐えた性の恐怖を思えば、禁欲はありがたい変化だった。

アンドラの監獄へ送られて以来はじめてフランスに帰ったいま、シラスは故郷の地が自分を試しているのではないか、救われたこの魂から暴力の記憶を引き出そうとしているのではないかと感じた。おまえは生まれ変わったんだ、と自分に言い聞かせる。きょうは神へのつとめのために殺しの罪を犯さざるをえなかった。この犠牲は永遠に心に秘めておかなくてはならない。

信仰の大きさは耐えうる痛みの大きさに等しい、と導師は語った。シラスは痛みについてよく知っており、自分の行為に崇高な力の裏づけがあると請け合ってくれた導師に、なんとしても認められたかった。

「神の御業《アーゴ・ラ・オプラ・デ・ディオス》をおこなう」シラスはつぶやき、教会の入口へ向かった。

重厚な戸口の物陰で足を止め、深く息をつく。いまになってはじめて、自分が何をしようとしているのか、中で何が待ち受けているのかを、真に理解した。

キー・ストーン。それこそがわれわれを究極の目標へと導く。

白いこぶしをあげ、扉を三回叩いた。

しばらくして、巨大な木の扉のかんぬきが動きはじめた。

16

ソフィーは考えていた。自分が建物から出ていないことをファーシュに気づかれるまでに、どれだけの時間があるだろうか。明らかに動転しているラングドンを見ると、この男をトイレへ呼び出したのが得策だったかどうか自信がなかった。

ほかに方法があったというの？

床に大の字になった祖父の全裸死体が目に浮かんだ。自分にとってかけがえのない人だった時期もあるのに、今夜この老人の死を悼む気持ちがほとんど湧かないことに、われながら驚いた。ジャック・ソニエールはすでに遠い存在となっていた。ソフィーが二十二歳だった年のある三月の夜、ふたりの絆《きずな》は瞬時にして消えた。もう十年になる。イギリスの大学院から予定より数日早く帰省し、あることに祖父が携わっている姿を、はからずも目撃した。いまとなっても信じがたい光景だった。

もしこの目で見なかったら……。

ソフィーは恥ずかしさと衝撃のあまり、祖父が苦しげに説明を試みる姿を見る気になれず、すぐにひとりで家を出た。貯金をはたいて、数人のルームメイトとともに小さなフラットを借りた。目にしたことについてはだれにも話すまいと心に決めた。一方、祖父は必死で連絡をとろうとした。カードや手紙を送りつけ、事情を説明するから会ってくれと懇願した。どう弁解するつもりなの？　ソフィーは一度だけ返事を出した。電話をかけたり、外で呼び止めたりするのをやめさせるためだ。あの出来事そのものより、祖父の言いわけを聞かされるほうが忌まわしく感じられた。

信じがたいことに、ソニエールはけっしてあきらめなかった。ソフィーの戸棚の抽《ひき》斗《だし》には、十年ぶんの未開封の手紙が残っている。ただし、ソフィーの要求どおり、一度として電話をかけてはこなかった。

だが、きょうの午後に禁を破った。

「ソフィーかい」留守番電話から聞こえる声は驚くほど年老いていた。「長いあいだわたしは、おまえの望みどおりにしてきた。だから電話をするのは心苦しいが、きょうは話さなくてはならない。恐ろしいことが起こったのだよ」

久しぶりに祖父のことばを耳にして、ソフィーは自室のキッチンで身震いした。やさしい声に子供のころへ引きもどされ、甘い思い出に包まれた。

「ソフィー、聞いておくれ」祖父は以前の習わしのまま、英語で話していた。学校ではフランス語、家では英語を使いなさい、とよく言われたものだ。「いつまでも腹を立てるものではないよ。長年送りつづけた手紙を、おまえは読まなかったのかい？まだわかってもらえないのかい」少し間があった。「すぐに話をしなくてはならない。わたしのたっての願いを聞き入れておくれ。ルーヴルに電話をしてもらいたい。いますぐに。わたしたちは重大な危険にさらされている」

ソフィーは電話機を見つめた。危険？　なんのことだろうか。

「プリンセス……」祖父の声はかすれているが、どんな思いを宿しているのか、ソフィーにはわからなかった。「たしかにわたしは隠し事をしていたし、そのせいでおまえの信頼を失ったことも承知している。だがそれはおまえの身の安全を守るためだった。いまこそ真実を知らせなくてはならない。どうしてもおまえに、家族にまつわる真実を伝えなくては」

突然、自分の心臓の音が聞こえた。家族？　両親はソフィーがまだ四歳のときに亡くなった。乗っていた車が橋から川の急流へ転落したらしい。祖母と弟も同乗しており、ソフィーは家族のほとんどをいちどきに失った。それを裏づける新聞の切り抜きが、いまも箱に残っている。

祖父のことばが呼び水となって、不意に熱い思いが全身を貫いた。家族！　その刹《せつ》那《な》、幼いころ何度となく見た、目覚め際の夢の一場面が脳裏に浮かんだ。みんな生きている！　もうすぐ帰ってくる！　しかし夢の常で、その光景は忘却のかなたへ消えていった。

みんな死んでしまったのよ、ソフィー。もう帰ってこない。

「ソフィー……」留守番電話から祖父の声が聞こえた。「わたしはおまえに言おうと、何年も待っていた。潮時を見計らっていたのだが、もう時が尽きた。ルーヴルに電話をかけなさい。これを聞いたらすぐにだ。夜通し待っている。わたしたちの両方に危険が迫っているらしい。おまえには知るべきことがたくさんある」

メッセージが終わった。

静寂のなかで、ソフィーは何分にも思える時間、震えながら立ちつくしていた。このメッセージの意味として考えられるものはひとつだけであり、祖父の意図が読めたと思った。

これは罠《わな》だ。

祖父が自分に会いたい一心でしたことにちがいない。なんでも試みるつもりなのだろう。祖父への嫌悪の念がいっそう深まった。もしかすると難病にかかり、最後に一度でも孫を呼び寄せようと、なりふりかまわず策を講じたのだろうか。だとしたら、巧妙な手立てだ。

家族。

いま、ルーヴルの男性用トイレの暗がりで、午後に聞いた電話のメッセージが繰り返し耳に響いた——わたしたちの両方に危険が迫っているらしい。ルーヴルに電話をかけなさい。

ソフィーは電話をしなかった。するつもりもなかった。ところが、勘ぐったのは大まちがいだった。祖父はこの美術館で殺され、いまも横たわっている。床に暗号を書き残したまま。

この自分に伝えるための暗号だ。それには確信があった。

メッセージの意味はわからないものの、その謎めいたことばづかいからも、自分へ向けられているのは明らかだった。ソフィーの暗号解読への情熱と才能は、謎解きやことば遊びやパズルの愛好家であるジャック・ソニエールに育てられたおかげで培われた。ふたりでどれだけの日曜日を、暗号文や新聞のクロスワード・パズルの解読に費やしたことだろう。

十二歳のとき、ソフィーは《ル・モンド》紙のクロスワード・パズルをだれの助けも借りずに解けるようになったので、ソニエールは段階を進めて、英語のクロスワードや数学のパズルや換字式暗号を解かせることにした。ソフィーはそのすべてを貪《むさぼ》るように吸収し、やがてその情熱を仕事に転化すべく、司法警察の暗号解読官になった。今夜、祖父が単純な暗号を使って、まったく面識のないふたりの人間――自分とロバート・ラングドン――を結びつけたその手際に、ソフィーは暗号技術者として脱帽せざるをえなかった。

問題は、なぜそんなことをしたかだ。

残念ながら、ラングドンの困り果てた目つきから察するに、祖父が自分たちふたりを引き合わせた理由を、このアメリカ人が自分よりよく知っているとは思えなかった。

ソフィーは問いかけた。「あなたと祖父は今夜会う予定だったのね。どんな用件で?」

ラングドンは心底当惑しているらしい。「ミスター・ソニエールの秘書が会見を申し入れてきたんだが、特に理由は言わなかったし、こちらも尋ねなかった。たぶん、フランスの大聖堂に見られる異教の図像をテーマにわたしが講演するのを知って興味を覚え、講演会のあとで軽く飲みながら話したいと考えたんじゃないだろうか」

ソフィーにはそう思えなかった。根拠が弱すぎる。異教の図像に関する知識で、祖父に並ぶ者はいなかった。そのうえ祖父は孤高を愛する人間であり、たまたま名前を聞き知った程度のアメリカ人の教授と、たいした理由もなく会話に興じるような性格ではない。

ソフィーは深呼吸をひとつして、さらに追及した。「祖父はきのうの午後電話をかけてきて、わたしも含めてひどく危険な状態にあるというメッセージを残したの。何か思いあたることはあるかしら」

ラングドンの青い目が不安げに曇った。「いや。しかし起こったことを考えるとまさに……」

ソフィーはうなずいた。今夜の事件を考えれば、自分は恐れを知らない愚か者だったと言える。気力の萎《な》えを感じながらも、トイレの突きあたりにあるガラスの小窓へ向かい、張りめぐらされた警報用の網越しに無言で外を見おろした。ここは高い——地面まで四十フィートはある。

ため息をついて目をあげ、輝くパリの夜景を見渡した。左手には、セーヌ川の向こうにライトアップされたエッフェル塔。前方には凱旋門《がいせんもん》。そして右手には、なだらかなモンマルトルの丘の頂上に、サクレ・クール寺院の優美なアラビア風のドームが見える。光沢のあるその白い外壁は聖なる輝きを帯びている。

ここはドゥノン翼の西端で、チュイルリー公園の手前を南北に走る道がほぼ接しており、建物の外壁とのあいだにはせまい歩道があるだけだ。はるか下では、いつもと同じく夜間運行の配送トラックの列がエンジンを吹かしながら信号待ちをしている。きらめく走行灯がこちらを見あげてあざ笑っているかのようだ。

「どう言ったらいいのか」ラングドンがそばに来て言った。「ミスター・ソニエールがわたしたちに何かを伝えようとしていたことだけは確実だ。まるで役に立たなくてすまないが」

ソフィーは窓から目を離して振り向いた。深みのあるラングドンの声に、心からの哀悼の響きが感じられた。とんでもない厄介事に巻きこまれながらも、力を貸してくれようとしている。根っからの教師だと思った。司法警察による人物調査書には目を通してある。物事を解明せずにはいられない、学究肌の人間だ。

わたしたちの共通点ね。

暗号解読官であるソフィーは、一見無意味な情報から意味を引き出すことを日ごろからおこなっている。今夜の頼みの綱は、ラングドンが自分でもそれと気づかぬうちに、こちらが必要とする情報を持っている可能性だった。〝プリンセス・ソフィー、ロバート・ラングドンを探せ〟。祖父のメッセージの真意はなんだろうか。ラングドンと過ごす時間がもっと必要だと思った。考える時間が。この謎をともに解明する時間が。にもかかわらず、時間は尽きていく。

ラングドンを見つめながら、ソフィーは考えつくままに言った。「ファーシュはすぐにでもあなたを勾留《こうりゅう》するつもりよ。この美術館から抜け出す手助けをしてあげる。ただし、いますぐ行動を起こして」

ラングドンは目を大きく見開いた。「逃げろと言うのか」

「それがいちばん賢明な方法なの。いまファーシュに捕まったら、あなたはこの国で投獄され、フランス司法警察とアメリカ大使館が主導権争いをするのを何週間も待たされる羽目になる。だけど、ここから逃げて大使館にたどり着けば、アメリカ政府の保護を受けながら、あなたがこの殺人事件と無関係であることをふたりで証明できるわ」

ラングドンは少しも納得していない様子だった。「無理だ！　ファーシュは武装した部下をどの出口にも配備している。もし撃たれずに逃げおおせたとしても、ますます犯人扱いされるだけだ。床のメッセージはきみに宛てたもので、わたしを告発するためのものじゃないということを、まずきみからファーシュに話してもらうほかない」

「もちろん話すつもりよ」ソフィーは早口でつづけた。「でも、それはあなたが大使館へ無事に着いてから。ここからたった一マイルほどだし、わたしの車がこのすぐ近くに停めてある。この場に残ってファーシュとやり合うのは危険が大きすぎるのよ。わかるでしょう?　今夜のファーシュは、あなたを犯人にすることが自分の使命だと決めこんでる。これまで逮捕せずにいたのは、あなたに何かぼろを出させて、犯人だという確証を得たかったからだわ」

「そのとおりだ。逃げたら向こうの思う壺《つぼ》じゃないか!」

ソフィーのセーターのポケットで、携帯電話が突然鳴りだした。たぶんファーシュだろう。ソフィーはポケットに手を入れて電源を切った。

「ミスター・ラングドン」急いで言う。「最後の質問をさせて」先行きのすべてがその答に左右されるかもしれない、と思った。「床のメッセージは、あなたが有罪だという決定的な証拠というわけでもない。それなのにファーシュは、あなたがまちがいなく犯人だとわたしたちに言いきった。ファーシュがそう信じる理由を、ほかに何か思いつく?」

ラングドンは数秒間黙考した。「まったく何も」

なぜだろう。ソフィーはため息を漏らした。それでは、ファーシュが嘘をついているのだろうか。ソフィーには想像もつかなかった。だが、いまはそのことを深く考えてはいられない。ファーシュが今夜なんとしてもラングドンを逮捕すると決めていることに変わりはないのだから。いまの自分はラングドンを必要としているが、この苦境では、採るべき道はひとつしかない。

アメリカ大使館へ連れていかなくては。

ソフィーは窓に向きなおり、板ガラスにめぐらされた網目を透かして、目もくらむ四十フィート下の舗装道路を見おろした。この高さから飛びおりたら、ラングドンは両脚を骨折するだろう。運がよくても。

それでもソフィーは決断した。

ロバート・ラングドンはルーヴルから脱出することになる。本人が望むと望まざるとにかかわらず。

17

「なぜあの女は電話に出ない？」ファーシュが怪訝《けげん》な顔で言った。「本人の携帯電話にかけているんだろうな。持ち歩いているはずだぞ」

コレは数分前からソフィーと連絡をとろうとしていた。「充電切れかもしれません。あるいは、呼び出し音を消してあるか」

暗号解読課長からの電話を受けたあと、ファーシュは混乱しているようだった。電話を切ると、あわただしくコレのもとへ来て、すぐにヌヴー捜査官に連絡しろと命じた。いまだにつながらないので、ファーシュは檻《おり》のなかのライオンよろしく歩きまわっている。

「暗号解読課はなんと言っていたんですか」コレは思いきって尋ねた。

ファーシュは振り向いた。「〝ドラコンのごとき悪魔〟も〝役に立たぬ聖人〟も、出典が見つからないそうだ」

「それだけですか」

「あの数字はフィボナッチ数列の各項と一致するが、全体として意味をなすわけではないとも言っていた」

　コレはとまどった。「しかし、そのことならヌヴー捜査官を送りこんで報告させたでしょう？」

「なんですって？」

　ファーシュはかぶりを振った。「暗号解読課はヌヴーを送りこんでいない」

「課長の話では、わたしの指示を受けて部下を召集し、こちらから送った映像を分析していたらしい。そこへヌヴー捜査官が来て、死体と暗号の写真をひと目見るなり、無言でその場を立ち去ったそうだ。ヌヴーがその写真を見て動揺するのは当然だから、課長はあえて咎《とが》めなかったという」

「動揺？　死体の写真を見たことがないんですか」

　ファーシュはつかの間沈黙した。「わたしは気づかなかったし、課長も別の捜査官に言われてはじめて知ったそうだが、ソフィー・ヌヴーはジャック・ソニエールの孫娘らしい」

　コレは唖然《あぜん》とした。

「本人はソニエールとの関係について一度も口にしなかったそうだ。高名な祖父がいるために特別扱いされるのをいやがったのだろうと、課長は言っていた」

それなら動揺したのも無理はない、とコレは思った。若い女性が、死んだ親族の手による暗号を解読する立場に置かれるというのは、信じられないほどの不幸な偶然だ。それにしても、ヌヴーの行動は不可解だった。「ヌヴーがあれをフィボナッチ数列だとすぐに見抜いたのは言うまでもありません。わざわざそれを知らせにきたんですから。しかし、解明したことをなぜだれにも告げずに職場を離れたんでしょうね」

この不思議な状況を説明できる筋書きを、コレはひとつだけ思いついた。ソニエールが数字による暗号を記したのは、捜査に暗号解読官、つまり自分の孫娘が加わるように仕向けたかったからではないだろうか。となると、メッセージの残りの部分によって、ソニエールはなんらかの方法で孫娘に意思を伝えたと考えられる。だとしたら、メッセージの意味は？　そして、ラングドンとの関係は？

さらに考えを進めようとしたそのとき、人気《ひとけ》のない美術館の静寂を警報が打ち砕いた。音はグランド・ギャラリーのほうから聞こえる。

「警報《アラルム》だ！」ルーヴルの警備局から送られた画像を見ていた捜査官が叫んだ。「男性用トイレ《トワレット・メシュー》！」

ファーシュはコレに向きなおった。「ラングドンはどこだ」

「まだトイレにいます！」コレはノート型パソコンの画面に点滅する赤い点を指し示

した。「窓を破ったにちがいない！」。ラングドンが遠くへ行けないのはわかっていた。パリの消防法により、公用建築物の一定の高さより上にある窓は、火災の場合を考慮して割れやすくなっているのだが、梯子《はしご》つき消防車の助けもなしにルーヴルの二階から脱出するのは自殺行為だ。そのうえ、ドゥノン翼の西側には、衝撃を和らげる草や木がまったくない。トイレの窓の真下は、外壁から数フィート離れた場所を二車線道路が走っている。「信じられない」コレは画面を見て叫んだ。「ラングドンは窓へ近づいていています！」

だがファーシュはすでに行動を起こしていた。ショルダーホルスターからマニューリンMR－93型のリボルバーを抜き、部屋を飛び出した。

コレが呆然《ぼうぜん》と画面を見ていると、またたく点は窓の位置に達したあと、まるで予想もしなかった動きをした。建物の外へ出たのだ。

どういうことだ？　ラングドンは窓から身を乗り出しているのか、それとも――

「ばかな！」点がさらに外へ動くのを見て、コレは飛びあがった。光が一瞬わずかに乱れたのち、またたく点は建物の外壁から十フィートほどの地点で急に動きを止めた。

コレはあわてて画面を操作してパリの道路地図を呼び出し、ＧＰＳで位置を再計測した。画面を拡大すると、発信機の正確な位置がわかった。

もう動いていない。
道路の真ん中で停止している。
ラングドンは飛びおりたにちがいない。

18

遠くの警報音をしのぐコレの大声を無線で聞きながら、ファーシュはグランド・ギャラリーを突き進んだ。

「飛びおりました！」コレが叫んでいる。「信号はトイレの窓の外から発せられています。いまはまったく動いていません。ラングドンは自殺を図ったようです！」

声は聞こえたものの、ファーシュはわけがわからずに走りつづけた。廊下は果てしなくつづく。ソニエールの遺体の横を駆け抜け、突きあたりの仕切り部分に目を向けた。警報が一段と大きく聞こえる。

「待ってください！」コレの声がふたたび無線機から響いた。「動いています！　よかった、生きている。ラングドンが動いています！」

ひと足ごとにギャラリーの長さを呪いながら、ファーシュは走りつづけた。

「動きが速くなりました！」コレはまだ怒鳴っている。「敷地を走っていきます。待てよ……また速くなった。これは速すぎる！」

仕切り板にたどり着いたファーシュは蛇行して進み、トイレのドアを見つけるや駆け寄った。

警報音のせいで、無線の声はわずかしか聞きとれない。「車だ！　車に乗っているんでしょう。しかし――」

コレのことばが警報音に掻《か》き消され、ファーシュは銃を手に男性用トイレへ飛びこんだ。耳をつんざく鋭い音にたじろぎながらも、あたりを見まわした。

個室は空《から》だった。洗面所にもだれもいない。ファーシュの視線は、突きあたりの壊された窓へすばやく移動した。そこへ走り寄って、外へ顔を出した。ラングドンはどこにも見あたらない。このような大それた真似をするとは、思いも寄らなかった。ここから飛びおりたら、少々の怪我ですむはずがない。

ようやく警報装置を切ると、コレの声がまた無線機から聞こえた。

「……南へ向かって……速くなって……ロワイヤル橋からセーヌ川を渡っています！」

ファーシュは左へ顔を向けた。ロワイヤル橋を走っているのは、ルーヴルから南へ向かう巨大な配送用トラックだけだ。無蓋《むがい》の荷台はビニールシートで覆われ、ばかでかいハンモックに見えないこともない。事態を悟って戦慄《せんりつ》した。あのトラックはほんの少し前、赤信号のためにトイレの窓の真下に停まっていたのだろう。

なんと無茶な、とファーシュはつぶやいた。シートの下に何が積まれているか、ラングドンにはまったくわからなかったはずだ。運んでいたのが鋼材だったらどうなる？　コンクリート材なら？　生ごみだとしたら？　四十フィート飛びおりるなんて、正気の沙汰《さた》ではない。

「点が方向を変えました！」コレが叫ぶ。「右折してアナトール・フランス河岸へ出ようとしています！」

見たところ、橋を渡りきったトラックはたしかに速度をゆるめ、右へ曲がろうとしている。勝手にしろ、とファーシュは思い、トラックが右へ姿を消すのをあきれて見守った。コレはすでに外の捜査官たちに無線連絡をはじめ、ルーヴル周辺の警備からパトカーでの追跡へ移るよう指示する一方、トラックの動きについての情報を珍妙な実況放送さながら流しつづけている。

どうせ先は見えている、とファーシュは確信していた。数分でトラックは部下に包囲される。ラングドンはどこへも逃げられない。

銃をしまい、トイレから出てコレに無線で指示した。「わたしの車を出してくれ。逮捕の現場に居合わせたい」

ファーシュはグランド・ギャラリーを駆け足で引き返しながら、そもそもラングドンはまだ生きているかどうかと考えた。

たいした問題ではない。

ラングドンは逃走した。有罪は決まりだ。

わずか十五ヤード離れたグランド・ギャラリーの暗闇で、ラングドンとソフィーは、トイレの入口を目隠しする大きな仕切り板のひとつに背中を押しつけて立っていた。先刻ここに身を隠したのだが、つぎの瞬間、銃を持ったファーシュが近くを駆け抜けてトイレへ消えた。

ここへ来る直前の六十秒間のことが、ふたりの脳裏にかすかによみがえってくる。

男性用トイレでラングドンが、犯してもいない罪のために逃げるのをためらっているのを尻目《しりめ》に、ソフィーは窓ガラスに目をやって、張りめぐらされた警報用の網を観察しはじめた。それから、落下地点を見定めるかのように、眼下の通りに目を凝らした。

「その気になれば、脱出できるわ」ソフィーは言った。

その気になる？　ラングドンは不安を感じて窓から外をのぞいた。

通りの先から、巨大な十八輪トラックが窓の下の停止信号に向かってきた。トラックの広々とした荷台には青いビニールシートが張り渡され、積み荷をゆったりと覆っている。ソフィーの目論見《もくろみ》について、こちらの読みがはずれていることを祈った。

「ソフィー、飛びおりるなんてそんな――」

「発信機を出して」

ラングドンはとまどいながらもポケットをまさぐり、小さい金属の円盤を取り出した。ソフィーはそれを受けとるなり、洗面台へ急いだ。分厚い石鹸《せっけん》をつかみとり、その上に発信機を置いて親指で強く押しつける。円盤が柔らかな表面に深く食いこむと、穴のまわりを指でならして、発信機をしっかりと埋めた。

ソフィーは石鹸をラングドンに手渡し、重い円筒形のごみ缶を洗面台の下から引き出した。抗《あらが》う間をラングドンに与えずに窓際へ走り、打ち壊し棒のようにそれを掲げる。ごみ缶の底を窓の中心に叩きつけると、ガラスが砕けた。

頭上から、耳を聾《ろう》するほどの音で警報が鳴り響いた。

「石鹸をちょうだい！」ソフィーの叫び声は警報音のせいでほとんど聞こえない。

ラングドンは石鹸を突き出した。

石鹸を受けとったソフィーは、割れた窓から停止中の十八輪トラックを見おろした。標的はかなり大きくて静止しており、建物から十フィートも離れていない。信号が変わる直前に、ソフィーは深く息をして石鹼を夜の闇へ投げた。

石鹼はトラックへまっすぐ落下してシートの端に載り、信号が青に変わると同時に荷台の奥へ滑り落ちた。

「おめでとう」ソフィーは言い、ラングドンをドアへと引きずっていった。「あなたはたったいまルーヴルから脱出したわ」

ふたりがトイレから退散して物陰に身をひそめたそのとき、ファーシュが脇を突っ走っていった。


警報機の音が静まったいま、ラングドンの耳に聞こえるのは、ルーヴルを出発する何台ものパトカーの甲高いサイレンの音だった。まるで民族の大移動だ。ファーシュもすばやく立ち去り、グランド・ギャラリーは静まり返った。

「五十メートルほどもどったところに非常階段があるの」ソフィーは説明した。「外の見張りがいなくなったから、そこから出ればいい」

ラングドンはもう何も言うまいと心に決めた。ソフィー・ヌヴーが自分より格段に頭が切れるのは明らかだ。

19

サン・シュルピス教会は、パリの建造物のなかでもとりわけ数奇な歴史を持つと言われている。エジプトの女神イシスを祭る古代の寺院の跡に建てられたもので、建物の床面の形はノートル・ダム大聖堂とほぼ一致する。マルキ・ド・サドやボードレールの洗礼のほか、ヴィクトル・ユゴーの結婚式もここで執りおこなわれた。付設の神学校には秘められた歴史があるとされ、かつてはそこでさまざまな秘密結社の会合がひそかに開かれたという。

今夜、洞窟《どうくつ》にも似た教会堂の身廊は墓場の静けさをたたえていた。夕方のミサで焚《た》かれた香のかすかなにおいだけが、人のいた名残を感じさせる。シラスは聖堂に招じ入れられたとき、シスター・サンドリーヌの緊張した顔つきに気づいた。驚きはしなかった。自分の風貌《ふうぼう》が他人を落ち着かなくさせるのには慣れている。

「アメリカのかたですね」シスターが言った。

「生まれはフランスです」シラスは答えた。「スペインで神のお召しを受けました。いまはアメリカで修行中です」

シスターはうなずいた。穏やかなまなざしの小柄な女だ。「で、サン・シュルピスを一度もご覧になったことがないと?」

「恥ずべきことだと思っております」

「昼間はもっと美しいのですけれど」

「きっとそうでしょうね。とはいえ、今夜よい機会を与えてくださって感謝しています」

「神父から依頼されました。有力なかたとお知り合いのようですね」

おまえの知ったことではない、とシラスは思った。

シスター・サンドリーヌのあとから中央の通路を進みながら、シラスは聖堂の質素なさまに驚かされた。ノートル・ダム大聖堂の色鮮やかなフレスコ画、金箔《きんぱく》の施された祭壇、あたたかみのある木工部分とは対照的に、サン・シュルピス教会は厳格で冷たく、荒涼とした雰囲気すら漂っていて、スペインの禁欲的な大聖堂を思い起こさせる。装飾がないせいで堂内はずいぶん広く感じられ、そびえ立つ天井のアーチを見あげると、逆さになった巨大な船体の下にいる錯覚に陥った。

似つかわしい場所だ、と思った。組織を乗せた船はまさに転覆しようとしている。さっそく仕事に取りかかるために、シスターを立ち去らせたかった。たやすく屈服させることができる小さな女だが、必要に迫られたとき以外には力を行使しないとシラスは心に誓っていた。組織がここをキー・ストーンの隠し場に選んだのはこの女のせいではない。ほかの者が犯した罪で責めを負わせるのは筋ちがいだ。

「恐縮です、シスター。わたしのためにおやすみになれなくて」

「気になさらないで。パリには短期間のご滞在とか。サン・シュルピス教会をお見逃しになってはいけません。ご興味があるのは建築様式かしら。それとも歴史？」

「実は、興味を持っているのは教会の精神です」

シスターは朗らかに笑った。「それは当然ですね。ただ、どこからご案内したらいいかと思いまして」

シラスの視線はおのずと祭壇へ移った。「ご案内には及びません。もうじゅうぶん力になっていただきました。ひとりで見てまわります」

「かまいませんのよ」シスターは言った。「どのみちわたしは起きているのですから」

シラスは歩みを止めた。すでにふたりは会衆席の最前列まで進み、祭壇まで十五ヤードしかない。巨軀《きょく》をひるがえして女の前に立ちはだかるや、相手がこちらの赤い目を見あげてすくみあがるのがわかった。「失礼ながら、わたしは神の家へ唐突に踏みこんで歩きまわるということに慣れておりません。もし差し支えがなければ、見せてもらう前にひとりで祈りを捧《ささ》げる時間をいただきたいのですが」

シスター・サンドリーヌは躊躇《ちゅうちょ》した。「ええ、よろしいですよ。わたしは後ろのほうで待っています」

シラスは重く柔らかな手をシスターの肩に置いた。

「おやすみの邪魔をしただけでも心苦しく思っているのです。そのうえお待たせするなど、とんでもないことですよ。どうか寝室へお引きとりください。見終えましたら勝手においとましますから」

シスターは不安げだった。「ほんとうにひとりで心細くありませんか」

「だいじょうぶです。祈りの喜びは孤独のなかでこそ得られます」

「でしたら、お好きなように」

シラスは手をおろした。「おやすみなさい、シスター。主《しゅ》の安らぎがあなたに訪れますように」

「そしてあなたにも」シスター・サンドリーヌは階段へ向かった。「お帰りになるときは扉をしっかりと閉めてくださいね」

「わかりました」シラスは、シスターが階段をあがって姿を消すまで見送った。それから向きを変えて席の最前列にひざまずくと、シリスが太腿《ふともも》に食いこむのを感じた。

神よ、きょうのつとめをあなたに捧げます……

祭壇のはるか上にある聖歌隊用のバルコニーの暗がりに身をかがめ、シスター・サンドリーヌは、ひとりで祈る外套《がいとう》姿の修道僧を手すりの隙間から静かにのぞき見た。突然、じっとしていられないほどの恐怖が湧き起こった。この奇妙な訪問者こそ、警戒するよう以前から教えこまれている敵かもしれないという思いが一瞬頭をよぎる。長年心に留めるばかりだった指令を、今夜こそ実行しなくてはならないのだろうか。シスターは闇に身をひそめたまま、男の動きをつぶさに見守ることにした。

20

ラングドンとソフィーは仕切り板の陰から出て、閑散としたグランド・ギャラリーを非常階段へと忍び足で進んだ。

歩きながらラングドンは、暗闇でジグソーパズルを組み立てる気分に陥っていた。なんとも厄介な展開になったものだ。司法警察の警部が自分に殺人の罪を着せようとしているなんて。

「ひょっとして」小声で言った。「ファ、、、、ファーシュが床にメッセージを書いたんじゃないだろうか」

ソフィーは振り返りもしなかった。「ありえないわ」

ラングドンにも確信はなかった。「ファーシュはわたしを犯人に仕立てあげたいようだ。わたしの名前を床に書いておけば立件しやすいと考えたのかもしれない」

「フィボナッチ数列はどうなるの？　P．S．は？　ダ・ヴィンチだの、女神の象徴だのは？　祖父以外に考えられない」

そのとおりだった。それぞれの手がかりが象徴するものは完璧《かんぺき》すぎるほど整合する合っている。

――五芒星《ごぼうせい》、〈ウィトルウィウス的人体図〉、ダ・ヴィンチ、女神、さらにフィボナッチ数列。一貫性のある象徴群、と図像学者なら呼ぶところだ。すべてが密接にからみ

「それに、きのうの午後のあの電話」ソフィーはつづけた。「わたしに話があると言っていた。書き残したメッセージは、何か大切なことを伝える最後の手段だったはずよ。それを読み解くためにあなたが力になってくれると、祖父は信じていたんだわ」

ラングドンは眉間《みけん》に皺《しわ》を寄せた。〝おお、ドラコンのごとき悪魔め！　おお、役に立たぬ聖人め！〟。ソフィーと自分の両方のために、そのメッセージの意味を知る必要がある。はじめてその謎めいたことばを目にしたときよりも、事態は明らかに悪くなっている。トイレの窓から逃げたと見せかけたことは、ファーシュの自分に対する印象を好転させる助けにはは、まちがってもなるまい。追跡のあげくに石鹸を逮捕するという筋書きを、あの警部がユーモアと解してくれるとは考えにくい。

「出口はもうすぐよ」ソフィーは言った。

「あの数字にメッセージを解読する鍵《かぎ》が隠されている可能性はないかな」ラングドンは以前ベーコンの手書き原稿をいくつか読んだことがあるが、それらの冒頭部分には数字が並んでいて、そこに隠された暗号を解読できると残りの部分も読めるという形

になっていた。

「わたしもあの数字についてずっと考えてるわ。たしたり割ったりかけたりしたけど、何も見えてこない。数学的には意味がない配列よ。まったくのでたらめ」

「でも、フィボナッチ数列の一部であることはたしかだ。偶然あの値が選ばれたはずはない」

「そうね。フィボナッチ数列はわたしの目を引きつける手立てだったのよ。英語でメッセージを書いたり、全身を使ってわたしの好きな絵に見立てたり、体に五芒星を描いたりしたのも同じこと。どれもわたしの注意を促すためだわ」

「五芒星はきみにとって意味があるのかい」

「ええ。まだ言っていなかったけど、五芒星は子供のころのわたしと祖父にとって特別な記号だったの。いっしょにタロット・カードで遊んだことがよくあって、わたしがはじめに出すカードは決まって五芒星の組だった。いま思えば祖父が細工をしたにちがいないけど、五芒星はわたしたちにとって笑いの種だったわ」

ラングドンは身震いした。タロットで遊んだ？　その中世イタリアのカードゲームには異教徒の象徴が数多く隠されているので、ラングドンは執筆中の原稿にタロットだけを扱った章を設けたほどだった。二十二のカードにはそれぞれ〝女教皇〟、〝女帝〟、〝星〟などの名前がつけられている。本来タロットは、教会から禁じられた思想をひそやかに伝えるための手段として考案された。その神秘性は現代の占い師に引き継がれている。

　タロットで女性の神性を示すのは五芒星の組だ。ソニエールが孫娘の持ち札に仕掛けをしたのなら、五芒星はたしかにふたりに笑いをもたらしたことだろう。

　非常階段口に着き、ソフィーは用心深くドアを引いた。警報は鳴らなかった。装置が作動するのは建物の外へ出るドアだけらしい。ソフィーはラングドンを従えて、一階へつづく折れ曲がったせまい階段へ踏み出し、しだいに足を速めた。

　ラングドンはあわただしくあとを追いながら言った。「ミスター・ソニエールは五芒星の話をするとき、女神崇拝やカトリック教会の猛攻撃について話したかい」

　ソフィーは首を横に振った。「わたしは数学的な要素のほうに興味があったの——黄金比《PHI》とか、フィボナッチ数列などにね」

　ラングドンは驚いた。「子供のころに黄金比について教わった？」

「そうよ。黄金比——神聖なる比率」そう言って、恥ずかしげな顔つきになる。「祖父はわたしを半分だけ神聖だと言ってからかったものよ……ほら、わたしの名前の綴《つづ》りがそうなってるから」

ラングドンは一瞬考えこんだのち、うなり声を発した。

ｓｏＰＨＩｅ――ソフィー。

階段をおりつつ、ラングドンはふたたび黄金比に思考を集中させた。ソニエールが残した手がかりには、最初の想像よりもはるかに強い一貫性があるらしい。

ダ・ヴィンチ……フィボナッチ数列……五芒星。

驚くべきことに、これらはみな、美術史の研究上欠かせないひとつの概念によって結びついている。ラングドンはそれについて何回も授業で取りあげたことがあった。

黄金比。

突然、ハーヴァードの授業の記憶がよみがえった。〝美術における象徴〟という授業で、壇上に立って自分の大好きな数字を黒板に書いているところだ。

1.618

ラングドンは振り返って、教室を埋めつくす熱心な学生たちへ顔を向けた。「だれかこの数について説明できるか？」

後方の席にいる脚の長い数学専攻の学生が手をあげた。「ＰＨＩ。黄金比です」

「そのとおりだ、ステットナー」ラングドンは言った。「諸君、黄金比を紹介しよう」

「私立《PI》探偵と混同しないでくださいよ」ステットナーはにやりと笑って付け足した。「ぼくら数学をやっている者はよくこう言うんです。黄金比《PHI》はＨがあるおかげで、ＰＩよりずっと切れ者だってね！」

ラングドンは声をあげて笑ったが、ほかの学生たちにはそのジョークが理解できないらしい。

ステットナーは肩を落とした。

「黄金比すなわち」ラングドンはつづけた。「１・６１８は芸術においてきわめて重要な数値だ。その理由がわかる者は？」

ステットナーが名誉を挽回《ばんかい》しようとした。「美しいからです」

笑いが湧き起こった。

「実は」ラングドンは言った。「またしてもご名答だ。これは宇宙で最も美しい数値だと一般に考えられている」

急に笑い声がやみ、ステットナーはほくそ笑んだ。

スライド映写の準備を進めながら、ラングドンは黄金比がフィボナッチ数列から導き出されることを説明した。その数列は、隣り合うふたつの項の和がつぎの項の値に等しいことで名高いが、隣り合うふたつの項の比がある数へ近づいていくという性質も持っている。その数こそ黄金比すなわち約1・618だ。

その摩訶《まか》不思議な性質についての数学的な解明はさておき、真に驚嘆すべきは、黄金比が自然界の事物の基本的な構成に深くかかわっていることだと、ラングドンは説いた。植物や動物、そして人間についてさえも、さまざまなものの比率が不気味なほどの正確さで1・618対1に迫っている。

「黄金比は自然界のいたるところに見られる」ラングドンはそう言って照明を落とした。「偶然の域を超えているのは明らかで、だから古代人はこの値が万物の創造主によって定められたにちがいないと考えた。古《いにしえ》の科学者はこれを〝神聖比率〟と呼んで崇《あが》めたものだ」

「待ってください」最前列の席にいる女子学生が言った。「わたしは生物学専攻ですけど、自然界でその神聖比率とやらに出会ったことがありません」

「そうかい」ラングドンはにっこり笑った。「ミツバチの群れにおける雄と雌の個数の関係について学んだことは？」

「ありますよ。雌の数はつねに雄を上まわります」

「正解。では、世界じゅうどのミツバチの巣を調べても、雌の数を雄の数で割ると同じ値が得られることは知ってるかい」

「えっ？」

「そう、黄金比になるんだ」

女子学生は口を大きくあけた。「信じられない！」

「ほんとうなんだよ」ラングドンはことばを投げ返し、微笑みながら巻き貝の殻のスライドを映写した。「これがなんだかわかるね」

「オウムガイです」生物学専攻の女子学生は答えた。「軟体動物の頭足類で、殻のなかの隔室へ気体を送りこんで浮力を調節します」

「そのとおり。どこであれ、この螺旋《らせん》形の直径は、それより九十度内側の直径の何倍になるか想像できるかい」

女子学生は不安げな表情で渦巻く殻のカーブを見つめた。

ラングドンはうなずいた。「黄金比だ。神聖比率。1・618対1」

女子学生は目をまるくした。

ラングドンはつぎのスライドへ移った。ヒマワリの頭花を拡大した映像だ。「ここでは逆方向の螺旋がいくつも渦巻いて並んでいる。それぞれの渦巻きを、同様に九十度内側と比較したときの直径の比率は？」

「黄金比？」全員が口をそろえた。

「ビンゴだ」それからラングドンはつぎつぎスライドを入れ替えた。渦状に並んだ松かさの鱗片《りんぺん》、植物の茎に葉がつく配列、昆虫の体の分節――すべてが驚くほど忠実に黄金比を示していた。

「こいつはびっくりだ！」だれかが叫んだ。

「なるほど」ほかの学生が言った。「でも、これが芸術とどんな関係があるんですか」

「そう！」ラングドンは言った。「いい質問だ」スライドをもう一枚映す。黄ばんだ羊皮紙に、レオナルド・ダ・ヴィンチによる名高い男性裸体画が描かれている。〈ウィトルウィウス的人体図〉。題名のもとになった古代ローマの著名な建築家マルクス・ウィトルウィウスは、その著書『建築論』のなかで神聖比率を賛美している。

「ダ・ヴィンチは人体の神聖な構造をだれよりもよく理解していた。実際に死体を掘り出して、骨格を正確に計測したこともある。人体を形作るさまざまな部分の関係がつねに黄金比を示すことを、はじめて実証した人間なんだよ」

教室内の全員が半信半疑の面持ちを見せた。

「信じられないとでも？」ラングドンは強い口調で言った。「こんどシャワーを浴びるときは、巻き尺を持っていくといい」

数人のフットボール選手が笑いを嚙《か》み殺した。

「肉体派の諸君だけじゃなくて」ラングドンはつづけた。「きみたち全員がだよ。男も女もやってみるんだ。まず頭のてっぺんから床までの長さを測る。つぎにそれを、へそから床までの長さで割る。答はなんだと思う？」

「黄金比のはずがない！」フットボール選手のひとりが思わず叫んだ。

「いや、黄金比だ」ラングドンは答えた。「1・618。ほかにも例をあげようか。肩から指先までの長さを測り、それを肘《ひじ》から指先までの長さで割る。黄金比だ。腰から床までの長さを、膝《ひざ》から床までの長さで割る。これも黄金比。手の指、足の指、背骨の区切れ目。黄金比、黄金比、黄金比。きみたちひとりひとりが神聖比率の申し子なんだよ」

暗がりではあったが、全員の愕然《がくぜん》とした様子がわかった。ラングドンはいつものあたたかい感情が湧くのを感じた。これだから教えるのは楽しい。「見てのとおり、混沌《こんとん》とした世界の底には秩序が隠れている。太古の人々は黄金比を見いだしたとき、神の創りたもうた世界の基本原理に出くわしたと確信し、それゆえに自然を崇拝した。当然だな。神の手は森羅万象のなかに感じられ、母なる大地を崇める宗教は現代でも存在する。われわれの多くは、異教の風習で自然を祝福しておきながら、そのことを知らずにいる。五月祭《メーデー》がいい例だよ。これは春の祭典で、大地がよみがえってその恵みをもたらす日だ。黄金比の持つ神秘的な特性については、はるか昔に記されている。人間は自然の法則に従って行動する存在にすぎず、芸術とは神の生み出した美を人間が摸倣《もほう》する試みにほかならない。だから今学期は、黄金比の数多くの実例を見ていくことになるだろう」

つづく三十分間、ラングドンはスライドによって、ミケランジェロ、アルブレヒト・デューラー、ダ・ヴィンチなど多数の芸術家の作品を紹介し、それぞれが作品の構成において意図的かつ厳格に黄金比に従っていることを実証した。ギリシャのパルテノン神殿、エジプトのピラミッド、果てはニューヨークの国連ビルに至るまで、その建築寸法に黄金比が使われていることも明らかにした。モーツァルトのソナタやベートーヴェンの交響曲第五番、さらにバルトーク、ドビュッシー、シューベルトの作品でも、黄金比が構成上の大きな要素を占めている。かの有名なストラディヴァリウスのバイオリンが作られたときに、黄金比を基準としてf字孔の正確な位置が決められたことも、ラングドンは語り聞かせた。

「おしまいに」ラングドンはそう言って黒板へ歩み寄った。「象徴の話へもどろう」

五本の線を交差させて、頂点が五つある星形を描く。「この記号は、きみたちが今学期最も強烈な印象を受けるもののひとつだ。正式には五線星形、かつては五芒星《ごぼうせい》と呼ばれたこの記号は、さまざまな文化圏において、神聖で魅惑的なものと見なされている。その理由がわかる者は？」

数学専攻のステットナーが手をあげた。「五線星形を描くと、できあがる線分同士の比が黄金比と一致するからです」

ラングドンは満足そうにうなずきを返した。「いいぞ。五芒星のすべての線分は互いに黄金比の関係をなすので、このしるしは神聖比率の究極の表現だと言える。だから、五芒星は女神や聖なる女性と関係づけられ、美と完全性の象徴でありつづけた」

女子学生たちの顔が輝いた。

「ひとつ言っておこう。きょうはダ・ヴィンチについて簡単にふれる程度だったが、今学期中にはるかに多くを見ていくことになる。レオナルドはまちがいなく、古代の女神にまつわるものに心を奪われていた。あすは壁画の〈最後の晩餐《ばんさん》〉を紹介する。聖なる女性を賛美した、驚嘆すべき作品だよ」

「冗談でしょう？」だれかが言った。「〈最後の晩餐〉はイエスを描いた絵なのに！」

ラングドンはウィンクをした。「象徴は思いがけないところに隠されているものだ」

「さあ早く」ソフィーがささやいた。「どうしたの？　もうすぐよ。急いで！」

かなたの物思いから呼びもどされ、ラングドンは顔をあげた。階段の途中だが、あることが突然頭にひらめいて、脚が動かなくなった。

おお、《O,》ドラコンのごとき悪魔《Draconian devil》め！　おお、《Oh,》役に立たぬ聖人《lame saint》め！

ソフィーがこちらを振り返っている。

こんなに簡単なはずがあろうか、とラングドンは思った。

しかし、これしかない。

ルーヴル美術館の奥深くで……黄金比とダ・ヴィンチの映像が脳裏に渦巻くなか、不意にソニエールの暗号が解けた。

「おお、《O,》ドラコンのごとき悪魔《Draconian devil》め！」ラングドンは声に出して言った。「おお、《Oh,》役に《la》立たぬ聖人《me saint》め！　単純な暗号じゃないか！」

ソフィーは足を止め、困惑してラングドンを見あげた。暗号？　あのことばについては何時間も考えたが、どんな暗号かは見抜けなかった。単純と言われると、いよいよわからない。

「きみも言っていただろう」ラングドンの声には興奮の響きがある。「フィボナッチ数列は本来の配列でこそ意味をなす。そうでなければ数学的にでたらめだって」

何が言いたいのか、ソフィーにはまるでわからなかった。フィボナッチ数列？　あの数字が書かれたのは暗号解読課を捜査に関与させるためとしか思えない。それとも、ほかに意図が？　ポケットに手を入れてプリントアウトを取り出し、祖父のメッセージをもう一度よく見た。

13-3-2-21-1-1-8-5

O, *Draconian devil!*

Oh, *lame saint!*

13-3-2-21-1-1-8-5

おお、ドラコンのごとき悪魔め！

おお、役に立たぬ聖人め！

この数字がどうしたというの？
「配列の乱れたフィボナッチ数列が鍵だ」ラングドンはそう言って紙をつかんだ。「数の部分はその下のメッセージを読み解く手がかりになっている。数列の順序を変えたのは、字句にも同じ考え方をあてはめろと教えるためだったんだよ。ドラコンのごとき悪魔だの、役に立たぬ聖人だのにはなんの意味もない。この二行は文字がでたらめに並んでるだけだ」

ソフィーは瞬時にして理解した。わかってしまえば、おかしいくらい単純なことだ。
「このメッセージが……アナグラムですって？」ラングドンを見つめる。「新聞にある文字の並べ替えクイズみたいな？」

ソフィーの顔に疑いの表情が浮かぶのを見て、ラングドンはそれも無理はないと思った。アナグラムは現代人のささやかな娯楽となっているものの、それに神聖な歴史があることはほとんど知られていない。

カバラ密教ではアナグラムを重んじ、ヘブライ語の字句を入れ替えて新たな意味を導き出していた。ルネッサンス時代のフランス歴代国王は、アナグラムに魔力があると信じていたため、直属のアナグラム研究家を登用して重要文書の文言《もんごん》の解析にあたらせ、判断をくだす際の参考にした。古代ローマ人は、アナグラムの研究を〝偉大なる《アルス・》芸術《マグナ》〟と呼んでいた。

ラングドンはソフィーとしっかり目を合わせた。「ミスター・ソニエールが伝えたかったことは、はじめからわたしたちの目の前にあった。読み解く手がかりはじゅうぶんすぎるくらいだったんだ」

それ以上何も言わず、上着のポケットからペンを抜いて、それぞれの行の文字を並べ替えたものを紙に記した。

O, Draconian devil!
Oh, lame saint!

この二行を並べ替えると……

Leonardo da Vinci!
The Mona Lisa!

21

モナ・リザ。

階段の途中で、ソフィーはルーヴルから脱出しようとしていることを一瞬すっかり忘れた。

アナグラムだと知った驚きも大きいけれど、自分でメッセージを解読できなかったことが情けなかった。複雑な暗号の解読法に関する専門知識があるせいで、かえって単純なことば遊びを見過ごしたのかもしれないが、やはり気づくべきだった。なんと言っても、自分はアナグラムに精通している――とりわけ英語のものに。

子供のころ、英語の綴りを覚えるために、よくアナグラムのゲームをさせられたものだ。ある日、祖父は〝ｐｌａｎｅｔｓ〟という英単語を書き、これらの七文字を使ってなんと九十二種類ものことばの組み合わせをほかに作れると告げた。ソフィーは三日間英語の辞書を隅々まで見て、すべてを調べあげた。

「信じられないな」紙を見つめながらラングドンは言った。「どうやったら死の間際の数分でこれほど複雑なアナグラムを編み出せるのか」

ソフィーには理由がわかっていた。だからこそよけいに後ろめたい。見抜けたはずなのに！　その昔、ことば遊びと美術を心底愛した若き祖父は、著名な芸術作品の名前からアナグラムを作って楽しんでいた。ソフィーが子供のころ、祖父はそのアナグラムのひとつで物議を醸したことがある。アメリカの美術雑誌のインタビューで、祖父はピカソの傑作〈アヴィニョンの娘たち（Les Demoiselles d'Avignon）〉が〝穢《けが》らわしい無意味ないたずら書き（vile meaningless doodles）〟の完璧《かんぺき》なアナグラムになると口走って、キュービズム運動への嫌悪をむき出しにした。ピカソに傾倒する者たちが喜ぶはずはなかった。

「たぶん祖父は、ずいぶん前にモナ・リザのアナグラムを作ったんだと思う」ソフィーはラングドンを見あげて言った。そして今夜、急場しのぎの暗号としてこれを使わざるをえなかったのだろう。かなたからの祖父の叫びが、身が凍るほどはっきりと感じられる。

――レオナルド・ダ・ヴィンチ！

――モナ・リザ！

辞世のことばがなぜ有名な絵画の名であるのか、ソフィーには見当がつかなかったが、ひとつだけ考えついた。困惑させられる答だ。

辞世のことばではない……

〈モナ・リザ〉を見にいけということか？　そこにメッセージを残しておいたと？　じゅうぶんありうる話だった。なんと言っても、あの名高い絵はグランド・ギャラリーに隣接する奥まった部屋——〈国家の間〉に展示されている。祖父は死の間際に〈モナ・リザ〉のところまで行けたはずだ。

非常階段の上へ視線をもどし、心が引き裂かれる思いがした。ラングドンを一刻も早く脱出させるべきなのはわかっているけれど、本能がその逆を命じている。幼いころにドゥノン翼へはじめて来たときの記憶が呼び覚まされた。祖父が自分に秘密を打ち明けるとしたら、ダ・ヴィンチの〈モナ・リザ〉以上にふさわしい場所はほとんど思いつかない。

「もうすぐだよ」祖父は閉館後の人気《ひとけ》のない館内を進みながら、ソフィーの小さな手を握ってささやいた。

ソフィーは六歳だった。途方もなく広い天井や目のくらみそうな床の模様を見つめていると、自分がとるに足りないちっぽけな人間に思えた。だれもいない美術館は気味が悪いが、それを悟られたくはない。口を固く引き結んで祖父の手を離した。

「この先が〈国家の間〉だ」祖父は言い、ルーヴルで最も有名な展示室へふたりで歩いていった。祖父は見るからに興奮していたが、ソフィーは家に帰りたかった。〈モナ・リザ〉は本で見たことがあるけれど、まったく好きではない。みんなが大騒ぎをする理由がわからなかった。

「セ・アンニュイユー」ソフィーは文句を言った。

「〝つまらない〟だよ」祖父は正した。「学校ではフランス語、家では英語だ」

「ル・ルーヴル。ここは家じゃない《ス・ネ・パ・シエ・モワ》！」ソフィーは言い返した。

祖父はあきれ顔で笑った。「なるほど。じゃあ、遊びで英語を話そうか」

ソフィーはふくれっ面をして歩いた。〈国家の間〉に着くと、ソフィーの視線は展示室をめぐり、はっきりと威光が感じられる一点――右手の壁の中央に落ち着いた。一枚の肖像画が防弾用プレキシガラスに囲まれて掛かっている。祖父は入口にとどまったまま、絵のほうへいざなう手ぶりをした。

「行ってごらん、ソフィー。ひとりきりであの絵を観られる人はめったにいない」

心細さを噛《か》み殺して、ソフィーはゆっくりと中へ進んだ。〈モナ・リザ〉についてはいろいろ聞き知っていたので、貴人に歩み寄る気分だった。プレキシガラスの前に着き、息をひそめて見あげると、瞬時にして全体を感じとれた。

どんな感想を予期していたかははっきりしないが、とにかくこんなふうになるとは思わなかった。強い驚きはない。不思議に感じる瞬間も訪れない。有名なその顔は本にあるのと同じだ。永遠とも思える時間、ソフィーは無言で立ちつくし、何かが起こるのを待っていた。

「どう思うね」祖父がソフィーの後ろに来てささやいた。「美しいだろう?」

「小さすぎる」

祖父は笑みを浮かべた。「おまえも小さいけれど美しいよ」

美しくない、とソフィーは思った。自分の赤毛とそばかすは大きらいだし、クラスではどの男の子よりも大きい。〈モナ・リザ〉を振り返って、かぶりを振った。「本で見たのほどきれいじゃないわ。顔が……ブリュムー」

「〝ぼやけている〟だよ」祖父は教えた。

「ぼやけている」ソフィーは繰り返した。新しい語彙《ごい》を復唱しないうちは話が進まないと知っていたからだ。

「これはスフマート画法と呼ばれている」祖父は説明した。「とてもむずかしい描き方だ。レオナルド・ダ・ヴィンチはだれよりもこの描き方が上手だった」

ソフィーはまだその絵が好きになれなかった。「この女の人は何かを知ってるみたい……学校の子たちが隠し事をしてるときもこんなふうよ」

祖父は笑った。「それこそが、この絵が有名な理由のひとつなんだよ。モナ・リザがなぜ微笑んでいるのかをあれこれ考えるのが好きな人がおおぜいいるんだ」

「なぜ微笑んでるのか、おじいちゃんにはわかるの？」

「たぶんな」祖父は片目をつぶってみせた。「それについてはいつか全部話すさ」

ソフィーは足を踏み鳴らした。「秘密はきらいだと言ったでしょ！」

「プリンセス」祖父は笑みを浮かべた。「人生には秘密がいっぱいある。何もかも一度に知ることはできないんだ」

「わたしは上へもどるわ」ソフィーの声はあたりに響きわたった。

「〈モナ・リザ〉のところへ？」ラングドンはひるんだ。「いま？」

ソフィーは危険を推し量った。「わたしは殺人の容疑者じゃないのよ。幸運に賭《か》けてみる。祖父が何を伝えようとしたのか、どうしても知りたいの」

「大使館のほうはどうするんだ」

逃亡の手引きをしたあげくにラングドンを見捨てるのは気が咎《とが》めたが、ほかに道はない。ソフィーは階段の下にある金属製のドアを指さした。「あのドアを出て、照明の灯った標識につぎつぎ従って出口へ向かえばいいわ。祖父はよくここに連れてきてくれたの。目印のとおりに進めば回転ゲートに着く。一方通行で出口専用よ」ラングドンに車のキーを渡す。「わたしの車は赤のスマートカーで、職員用の駐車場に停めてある。この壁のすぐ外側よ。大使館への道順はわかるかしら」

ラングドンは受けとったキーを見てうなずいた。

「聞いて」ソフィーは静かな声で言った。「祖父は〈モナ・リザ〉の絵のあたりに、わたしへのメッセージを残したんじゃないかと思うの。自分を殺した犯人についての手がかりか何かをね。あるいは、わたしの身に危険が迫っている理由についての〝家族にまつわる真実〟についてかもしれない、と思った。「それを見にいかなくちゃ」

「しかし、危険が迫っている理由をきみに教えたいのなら、床の上にそのまま書けばいいじゃないか。なぜこんなにこみ入った仕掛けを？」

「何を伝えようとしたにせよ、他人に内容を知られたくなかったんでしょうね。警察にさえも」祖父が死力を尽くして自分だけに極秘のメッセージを伝えようとしたのは疑いない。伝言を暗号で書き、秘密の頭文字を入れ、ロバート・ラングドンを探せと指示した。このアメリカ人の象徴学者が暗号を解読したことを考えると、賢明な指示だったと言える。「妙に聞こえるかもしれないけど、祖父はわたしに、だれよりも先に〈モナ・リザ〉のもとへ行かせたかったんじゃないかしら」

「わたしもいっしょに行く」

「だめよ！　いつ追っ手が引き返してくるか、わからないんだから。あなたは逃げなくちゃ」

ラングドンは迷っているらしい。学究心の強さゆえに判断力を失い、みずからファーシュの手中に落ちようとしているかのようだ。

「逃げて。早く」ソフィーは明るく微笑んだ。「大使館で会いましょう、ミスター・ラングドン」

ラングドンは不満そうだった。「大使館で会うには、ひとつ条件がある」断固とした口調で言った。

ソフィーは驚いて、一瞬黙した。「何かしら」

「ミスター・ラングドンという呼び方をやめることだ」

その顔をゆがんだ笑みがよぎったのを見てとり、ソフィーは思わず微笑み返した。

「幸運を祈るわ、ロバート」

階段をおりきると、まぎれもないリンシード・オイルと石膏《せっこう》の粉のにおいが鼻腔《びこう》を刺激した。前方には〝出口〟と書かれた標示灯が見え、長い廊下の先を矢印で示している。

ラングドンは通路へ踏み出した。

右手に薄暗い修復用アトリエがあり、さまざまな修復過程にある彫像群がこちらを見つめている。左へ視線を向けると、ハーヴァードの美術学の教室に似たひとつづきのアトリエが目にはいった。イーゼル、絵、パレット、工具が並んでいる――美術品修復の流れ作業だ。

通路を進むうちに、いまにも突然目が覚めて、マサチューセッツ州ケンブリッジの自宅のベッドに横たわっているのではないかと思えてきた。今宵《こよい》のすべてが奇怪な夢のようだ。自分が逃亡者としてルーヴルを抜け出そうとしているなんて。

ソニエールによる手のこんだアナグラムが脳裏を離れず、ラングドンは考えこんだ。〈モナ・リザ〉のあたりで何を見つけるつもりなのか。あの有名な絵まで引き返すことを祖父が望んでいると、ソフィーは確信しているようだ。それなりに納得できるものの、いまのラングドンは厄介な矛盾に悩まされていた。

――P.S. ロバート・ラングドンを探せ。

ソニエールはラングドンの名を床に書き、探すようソフィーに命じた。しかし、なぜだろう。単にアナグラムを読み解く助けとするためなのか。

その可能性はきわめて低い。

だいいち、こちらがアナグラムに精通しているとソニエールが考える根拠はどこにもない。面識すらないではないか。さらに言えば、ソフィー本人が、アナグラムを自力で解くべきだったと認めている。フィボナッチ数列に着目したのはソフィーだし、もう少し時間を与えられていたら、こちらの助けを借りずにメッセージを解読していたにちがいない。

本来ならソフィーがアナグラムを解くはずだった。その確信が一気に強まり、だからこそソニエールの行為がまったく理不尽に感じられた。

なぜこの自分を選んだのか。ラングドンは思案しながら通路を進んだ。なぜソニエールの臨終の願いが、孫娘に自分を見つけさせることなのか。この自分にならわかるとソニエールが考えるものはなんだろう？

不意に思いあたり、ラングドンは立ち止まった。目を大きく開き、ポケットに手を突っこんでプリントアウトを引き出す。ソニエールのメッセージの最終行を見つめた。

——P.S. ロバート・ラングドンを探せ。

ふたつの文字を食い入るように見る。

P.S.

その瞬間、ソニエールが示した混沌《こんとん》たる象徴の群れが、はっきりと像を結んだ。生涯をかけて積みあげた象徴学と歴史学の知識が、雷鳴さながらの音を立てて崩れ落ちた気がする。ジャック・ソニエールが今夜したことの全貌《ぜんぼう》が、瞬時にして見てとれた。

ラングドンはその意味するところを整理しようと、すばやく考えをめぐらせた。振り返って、いま来た方向へ目を向ける。

時間はあるだろうか。

むろん、そんなことはどうでもよかった。

ためらうことなく、ラングドンは全速力で階段へ駆け出した。

22

最前列にひざまずいて祈りを捧《ささ》げるふりをしながら、シラスは堂内に目を走らせた。大半の教会堂と同じく、サン・シュルピス教会も巨大なローマ十字の形に建てられていた。縦長の中央部分をなす身廊の先に主祭壇があり、そこから翼廊と呼ばれる短い部分が横へ伸びている。身廊と翼廊の交わる部分は中央の丸屋根の真下にあたり、教会の心臓部――最も神聖な場所と見なされている。

だが今夜はちがう、とシラスは思った。サン・シュルピスは別の場所に神秘なるものを隠している。

首を右にひねり、南の翼廊へ目を向けた。会衆席の向こうの広い床面に、あの四人が言っていたものが見える。

あれだ。

灰色の花崗《かこう》岩の床に細長い真鍮《しんちゆう》片が埋めこまれ、金色の線が教会の床を斜めに横切っている。線に定規を思わせる目盛りが刻まれているのが見える。指時計《グノモン》といい、異教徒が作った日時計のようなものだと、シラスは教えられていた。世界じゅうの旅行者、科学者、歴史学者、そして異教徒が、この名高い線を見るためにサン・シュルピス教会を訪れる。

ローズ・ライン。

真鍮の道筋をゆっくり目で追ったところ、それは目の前の床を中途半端な角度で右から左へ斜めに進み、教会堂全体の対称性とまったく相容《あいい》れなかった。主祭壇をかすめるその線は、美しい顔に切りつけられた傷を思わせる。さらに聖体拝領台をふたつに裂き、堂内を端から端まで横断したすえ、翼廊の北の隅にある意外な物体の基部に達していた。

エジプトの巨大なオベリスク。

輝くローズ・ラインはここから九十度上に向きを変え、オベリスクの表面をたどって約三十三フィートの高みまでのぼり、ピラミッド形の突端でようやく終わっていた。

ローズ・ライン。組織はキー・ストーンをそこに隠したという。

キー・ストーンの隠し場所がサン・シュルピス教会であるとシラスが告げたとき、導師は疑わしげだった。けれども四人全員の教えた場所が正確に一致し、それがサン・シュルピス教会を走る真鍮の線にまつわると聞くなり、驚きをあらわにした。

「ローズ・ラインではないか!」

導師はサン・シュルピス教会の建築上の特徴をかいつまんで説明した。堂内を分断する真鍮の線は、正確に南北方向を示している。古代の日時計の一種で、かつて異教徒の寺院が同じ場所に建っていた名残だ。南側の窓から線上へ差しこむ陽光が毎日少しずつ位置を変え、それが夏至から冬至までの時の経過を表す。

この南北に走る線はローズ・ラインと呼ばれている。何世紀ものあいだ、薔薇《ばら》は地図や、正しい方向へ人々を導くものの象徴だった。羅針図《コンパス・ローズ》はほとんどの地図に描かれて、東西南北を指し示しているが、元来は〝風の薔薇《ウインド・ローズ》〟として知られ、三十二の風向きを表していた。主要な八方位を基準とし、十六方、三十二方と細分したものである。円の上に図示すると、三十二個の頂点のなす形が、三十二枚の花弁を持つ伝統的な薔薇の模様によく似て見える。今日でもコンパス・ローズは航海の基本とされており、北側の先端には矢じりまたは百合の花の紋章《フルール・ド・リス》が描かれている。

地球上において、ローズ・ラインは——子午線あるいは経線とも呼ばれるものは——北極と南極を結ぶ想像上の線である。北極と南極をつなぐ線は地球上のあらゆる点から引けるので、当然ながらローズ・ラインは無数にある。昔の航海者たちの頭を悩ませたのは、それらの線のどれを真のローズ・ライン——経度ゼロの線——と呼ぶか、あらゆる経度を計測するための基準線をどこに置くかということだった。

現在その線はイギリスのグリニッジにある。

しかし、当初からそこにあったわけではない。

世界共通の本初子午線の基点としてグリニッジ天文台が公認される以前、フランス人にとってのゼロ度の経線はパリのサン・シュルピス教会を通っていた。真鍮の標線はその事実を記念したものであり、一八八四年にグリニッジにその名誉を奪われたものの、元来のローズ・ラインとしていまも残っている。

「では伝説はほんとうだったのか」導師はシラスに言った。「修道会のキー・ストーンは〝薔薇の印の下にある〟と言われている」

いま、会衆席に膝《ひざ》を突いたまま、シラスは堂内を見まわし、耳をそばだてて人がいないのを確認した。聖歌隊のバルコニーで衣《きぬ》ずれの音が聞こえた気がし、頭をあげて数秒間目を凝らした。だれもいない。

ひとりきりだ。

立ちあがり、祭壇に向かって三度ひれ伏した。それから左を向いて真鍮の線に従い、オベリスクのある真北へ進んだ。

そのころ、ローマのレオナルド・ダ・ヴィンチ国際空港では、車輪が滑走路を叩《たた》く衝撃で、アリンガローサ司教がうたた寝から目覚めた。

居眠りをしていたのか、と司教は思った。眠れるほどくつろげているなら、それも悪くない。

「ローマへようこそ《ベンヴェヌート・ア・ローマ》」機内放送が流れる。

身を起こして黒い法衣の乱れを直すと、珍しく顔が自然にほころんだ。こういう旅をしたいと前から思っていたものだ。ずいぶん長いあいだ守勢にまわっていたが、今夜は立場が逆転した。わずか五か月前、アリンガローサは先々の信仰活動に不安をいだいていた。いまや、神の御心によるかのごとく、解決策がひとりでに姿を現している。

神のお導きだ。

今宵パリで計画どおりに事が運べば、あるものがまもなく手にはいる。それがあれば、自分はキリスト教世界で最も強大な人間となるだろう。

23

ソフィーは息を切らして、〈国家の間〉に通じる大きな木製のドアにたどり着いた。この部屋に〈モナ・リザ〉が展示されている。中へ進む前に、グランド・ギャラリーの奥をおそるおそる見やった。はるか向こうに、明かりに包まれた祖父の遺体がいまなお横たわっているはずだ。

唐突に激しい自責の念に襲われた。罪悪感と深い悲しみが入り混じっている。祖父が十年にわたって幾度も手を差し伸べてきたのに、自分は頑《かたく》なに拒みつづけた。手紙も小包も開封せずに抽斗《ひきだし》にしまいこみ、まったく相手にしなかった。嘘をついたからよ！　とんでもない隠し事をしていたでしょう？　わたしはどうすればよかったの？

自分は祖父を締め出していた。完全に。

そしていま、祖父は息絶え、声なき声で語りかけている。

——モナ・リザ。

巨大なドアへ手を伸ばし、力をこめて押した。視界が大きく開けた。ソフィーは戸口に立ったまま、長方形の室内をしばし見渡した。ここも柔らかな赤い光に包まれている。〈国家の間〉はこの美術館の数少ない袋小路のひとつであり、グランド・ギャラリーの中ほどに孤立して通り抜けができない。唯一の出入口となるこのドアの向かいの壁には、高さ十五フィートのボッティチェルリの絵がそびえていた。その手前には、寄せ木張りの床の中央を占める形で、大きい八角形のソファーが置かれている。ルーヴル最大の財産を鑑賞しながら脚を休められるので、多くの入場者にとってありがたい憩いの場だ。

とはいえ、入室する前から、ソフィーは必要なものが欠けていることに気づいていた。ブラックライトだ。もし祖父がこの展示室に何かを書き残したのなら、まちがいなく透明インクペンを使ったはずだ。

ソフィーは深く息を吸いこみ、明るく照らされた事件現場へ足早に向かった。遺体には目を向けることができず、鑑識用の検査機器だけを注視する。小型の紫外線照射用ライトを見つけてセーターのポケットに滑りこませ、〈国家の間〉のほうへ急いでもどった。

角を曲がり、部屋へ足を踏み入れた。ところが、はいったとたん、驚いたことに、部屋の奥から迫るくぐもった足音に迎えられた。だれかいる！　赤い薄闇からぼんやりした人影がやにわに現れた。ソフィーは後ろへ飛びのいた。

「やあ！」人影が目の前で止まると同時に、ラングドンのかすれた小声が空気を切り裂いた。

胸をなでおろしたのはつかの間だった。「ロバート、ここから逃げてと言ったでしょう！　もしファーシュが――」

「きみはどこにいたんだ」

「ブラックライトが必要だったのよ」ソフィーはささやき、それを掲げた。「祖父がメッセージを書き残したとすれば――」

「ソフィー、聞いてくれ」ラングドンは息を凝らし、青い目でソフィーをしっかりと見つめた。「P．S．という文字だが……きみにとって何か別の意味はないだろうか。どんなことでもいい」

通路に声が響くのを恐れて、ソフィーはラングドンを部屋のなかへじゅうぶん引き入れ、両開きの大きなドアを静かに閉めた。「言ったでしょう。プリンセス・ソフィーよ」

「わかってる。でも、どこか別の場所で見かけたことはないかな。ミスター・ソニエールはP．S．をほかの形で使っていなかったろうか。紋章とか、文房具や日用品についた模様とか」

その質問にソフィーは愕然《がくぜん》とした。どうして知ってるの？　P.S. の頭文字が紋章のたぐいに用いられているのを、たしかに一度見たことがある。九歳の誕生日の前日のことだ。ソフィーは隠された誕生プレゼントを見つけようと、こっそり家のなかを探していた。当時すでに、秘密を解き明かさずにいられない性格だった。

おじいちゃんは今年何を用意してくれたのかしら。ソフィーは戸棚や抽斗を探りまわった。わたしがほしいと言った人形？　いったいどこに隠したの？

家のどこにも見つからないので、勇気を出して祖父の寝室へ忍びこんだ。はいってはいけないと言われていた部屋だが、祖父は一階の長椅子で眠っている。

ちょっとのぞくだけよ！

きしむ木の床を忍び足で歩いてクロゼットにたどり着き、衣類の奥の棚をのぞきこんだ。ない。つぎにベッドの下を調べた。ここにもない。書き物机に近づき、抽斗をひとつずつあけて中を念入りに探った。絶対にプレゼントがあるはずよ！　残り一段になっても、人形などどこにも見あたらなかった。くじけそうになりながら最後の抽斗をあけ、中にあった黒い服を横へ動かす。祖父がそれを着た姿は見たことがなかった。抽斗を閉めようとしたそのとき、奥に金色に光るものが見えた。懐中時計の鎖に似ているけれど、祖父がそんなものを身につけないのは知っている。それがなんであるかに思いあたり、胸が高鳴った。

首飾りね！

ソフィーは注意深くその鎖を引き抜いた。驚いたことに、先端に金色の鍵《かぎ》が見えた。重みがあり、かすかに輝いている。夢中でそれを前に掲げた。こんな鍵は見たこともない。たいていの鍵は平たくて刻みがはいっているものだけれど、これは三角柱の棒で、表面に小さな穴がいくつもあいている。大きな金色の握りは十字架の形だが、ふつうの十字架とちがって、プラスの記号のように縦横の長さが同じだ。十字の中心には、奇妙な模様が——花の図案らしきものとからみ合うふたつの文字が——浮き彫りになっていた。

「P.S.」眉《まゆ》をひそめてその文字を小声で読んだ。いったい何？

「ソフィー」祖父が部屋の戸口から呼びかけた。

驚いて振り返ったので、鍵が大きな音を立てて床へ落ちた。ソフィーはこわくて祖父の顔を見あげることができず、鍵へ視線を注いだ。

「お誕生日の……プレゼントを探してたの」そう言ってうなだれた。祖父の信頼を裏切ったことはわかっていた。

永遠とも思える時間、祖父はだまって戸口に立っていた。ついに、苦しげなため息を長々と吐き出した。「鍵を拾いなさい」

ソフィーは鍵を手にとった。

祖父は室内へ進んだ。「ソフィー、人のプライバシーを尊重しなくてはいけないよ」穏やかにひざまずき、ソフィーから鍵を取りあげた。「この鍵はとても大切なものだ。もしなくしでもしたら……」

祖父の静かな声を聞いて、ソフィーはいっそう惨めな気持ちになった。「ごめんなさい、おじいちゃん。ほんとうにごめんなさい」ひと息ついて言う。「わたしの誕生祝いの首飾りだと思ったの」

数秒のあいだ、祖父はソフィーを見つめた。「もう一度言うよ、ソフィー。大切なことだからな。おまえは人のプライバシーを尊重することを学ばなくてはいけない」

「はい、おじいちゃん」

「このことについては、いつかまた話をしよう。いまは庭の草むしりをしなくては」

ソフィーは日課を果たすために急いで外へ出た。

翌朝、祖父からはプレゼントが渡されなかった。あんなことをしたのだから、それも当然だとソフィーは思った。とはいえ、その日は一日じゅう、祝いのことばすらかけてもらえなかった。夜になり、ソフィーは沈んだ気持ちでベッドにはいった。そのとき、枕の上にメッセージカードを見つけた。そこには簡単な謎掛けが記してあった。謎を解かないうちから、ソフィーの顔はほころんだ。そういうことね！　去年のクリスマスの朝にも、祖父はこの手を使った。

宝探し！

懸命に考え、ついに答を見つけた。答は家のなかの別の場所を示しており、そこへ行くと別のカードに別の謎が書かれていた。それも解き、つぎのカードへと急ぐ。手がかりに従って家じゅうを走りまわったすえ、自分の寝室へもどるよう指示するカードを発見した。階段を駆けあがって部屋へ飛びこんだとたん、ソフィーの足は止まった。部屋の真ん中に、ハンドルにリボンのついた赤い新品の自転車が置かれている。ソフィーは喜びに叫んだ。

「おまえが人形をほしがっていたのは知っているんだが」部屋の隅で、祖父が微笑んで言った。「これのほうが気に入るだろうと思ってね」

つぎの日、祖父は散歩道を走りながら、ソフィーに自転車の乗り方を教えた。ソフィーが深い芝地へハンドルを切ってバランスを崩すと、ふたりとも草の上へ投げ出され、いっしょに転げまわって笑った。

「おじいちゃん」ソフィーは抱きついたまま言った。「鍵のこと、ほんとうにごめんなさい」

「もういいさ。ずっと腹を立てているなんて無理な話だ。祖父と孫はいつだって許し合うものだよ」

尋ねてはいけないと知りながらも、ソフィーは尋ねずにいられなかった。「あれは何をあけるものなの？　あんな鍵は見たことがないわ。とってもきれいだった」

祖父は長いあいだだまっていた。どう答えるべきか迷っているのがソフィーにもわかった。祖父はけっして嘘をつかない。「ある箱の鍵だ」祖父はついに言った。「そこにたくさんの秘密を隠してあるんだよ」

ソフィーは口をとがらせた。「秘密は大きらい！」

「わかっているよ。だがそれは大切な秘密だ。いつの日か、おまえもわたしに劣らずその価値を知ることになる」

「鍵に字がふたつついてたわ。それにお花も」

「そう、わたしの大好きな花だ。フルール・ド・リス。うちの庭にもある。白い花だよ。英語ではリリー――百合《ゆり》という」

「知ってるわ！　わたしだって大好きだもの」

「ではひとつ取引をしよう」祖父の眉があがり、ソフィーに難問を与えるときに決まって見せる顔つきになった。「もしおまえがあの鍵のことを秘密にして、わたしにもほかの者にも言わずにいてくれたら、いつかおまえにあの鍵をあげよう」

ソフィーは自分の耳を疑った。「ほんとうに？」

「約束する。時が来れば鍵はおまえのものになる。おまえの名前が記してあるのだから」

ソフィーは顔をしかめた。「ちがう。P. S. となってたもの。わたしの名前はP. S. じゃないわ！」

祖父はあたりを見まわしてだれにも聞かれていないのを確認し、声をひそめた。「いいだろう。どうしても知りたいなら教えよう。P. S. というのは暗号だ。おまえの秘密の頭文字なんだよ」

ソフィーは大きく目を見開いた。「わたしに秘密の頭文字があるの？」

「そうとも。孫娘には、祖父だけが知る秘密の頭文字があるものだ」

「それがP. S. なの？」

祖父はいたずらっぽく言った。「プリンセス・ソフィーだ」

ソフィーはくすくす笑った。「わたしはプリンセスじゃないわ！」

祖父はウィンクをした。「わたしにとってはそうなんだよ」

その日以来、ふたりは二度と鍵のことを話さなかった。そしてソフィーはプリンセス・ソフィーとなった。

〈国家の間〉で、ソフィーは祖父を失った痛みに無言で耐えていた。

「やっぱり」ラングドンはソフィーにじっと目を注いだまま、小声で言った。「その頭文字を見たことがあるんだな」

ソフィーには、グランド・ギャラリーから祖父のささやきが響いてくる気がした——〝あの鍵のことを話してはいけない。わたしにも、ほかの者にも〟。自分が祖父に対して寛容でなかったのはわかっている。そのうえさらに祖父の信頼を裏切ることなどできるだろうか。〝P.S. ロバート・ラングドンを探せ〟。祖父自身がラングドンに助けを求めたのだから、話してもかまうまい。ソフィーはうなずいた。「ええ、P.S. という頭文字は一度見たことがある。子供のころよ」

「どこで？」

ソフィーはためらった。「祖父がとても大切にしていたものに、その模様がついていたの」

ラングドンはソフィーをじっと見て言った。「ソフィー、これは大事なことだ。その頭文字はある象徴と組み合わされていなかったかい？　フルール・ド・リス――つまり百合の花と」

ソフィーは驚愕《きょうがく》のあまり後ろへよろめいた。「いったい……どうしてわかったの？」

ラングドンは深く息をつき、声をひそめた。「ミスター・ソニエールはある秘密結社の会員だったと、わたしは確信している。非常に長い歴史を持つ、隠密《おんみつ》の友愛組織だ」

ソフィーは胃がよじれそうな感覚を覚えた。そうにちがいないと思った。まがまがしい事実を突きつけてきたあの出来事を、自分は十年間忘れようとつとめてきた。その日、自分は信じられないものを目撃した。許しがたいものを。

「百合の花と」ラングドンが言った。「頭文字のP．S．との組み合わせが、その組織の正式な標章なんだ。紋章。ロゴ」

「なぜそんなことを知ってるの？」ソフィーは、ラングドンが自分も会員だと言いださないことを祈った。

「以前論文を書いたんだよ」ラングドンの声は興奮で震えていた。「秘密結社の象徴に関する研究は、わたしの専門分野だ。彼らはプリウレ・ド・シオン――シオン修道会と自称している。ここフランスに拠点を置き、ヨーロッパ全土から傑出した人材を集めている。地上最古の秘密結社のひとつだと言っていい」

ソフィーは聞いたことがなかった。

ラングドンは早口で説明している。「シオン修道会の会員には、歴史に名を残す文化人も含まれている。たとえばボッティチェルリ、サー・アイザック・ニュートン、ヴィクトル・ユゴー」その声にはいまや学問への熱情があふれている。「そして、レオナルド・ダ・ヴィンチ」

ソフィーは目をまるくした。「ダ・ヴィンチが秘密結社の一員ですって？」

「ダ・ヴィンチは一五一〇年から一五一九年までのあいだ、総長としてシオン修道会を統轄した。このことは、ミスター・ソニエールがレオナルドの作品に情熱を傾けていた理由を説明する鍵となるかもしれない。ふたりには時代を超えた同志の絆《きずな》がある。女神の象徴や異教崇拝や女性の神性に興味を持ち、教会をきらったという事実から、それは明らかだ。シオン修道会に聖女崇拝の歴史があることは、記録が物語っている」

「異教の女神を崇《あが》める集団なの？」

「異教の女神を崇める最高の集団と言うべきかもしれない。だがそれより重要なのは、ある古代の秘密の守護者とされていることだ。計り知れない力をもたらす秘密だよ」

ラングドンの目に確信が見てとれたが、ソフィーはとうてい信じられずにいた。知られざる異教の宗派？　レオナルド・ダ・ヴィンチが総長をつとめた？　途方もなくふざけた話に聞こえる。けれども、打ち消したい思いとともに、十年前へ引きもどされるのを感じた――祖父を不意打ちしたあげく、いまだに信じることができないものを目撃してしまった、あの夜へ。そういうことだったの？

「現在のシオン修道会の会員がだれであるかは、極秘にされている」ラングドンは言った。「しかし、きみが子供のときに見たP．S．と百合の花は会員の証《あかし》だ。それはまちがいなくシオン修道会のものなんだよ」

ラングドンが祖父について予想以上に多くを知っている、とソフィーは思った。このアメリカ人から教わりたいことが山ほどあるが、いまはその余裕がない。「あなたが捕まったら困るわ、ロバート。聞きたいことがたくさんあるの。なんとしても逃げるのよ！」

ラングドンには、ソフィーの声がかすかなつぶやきにしか聞こえなかった。こうなったら、どこへも行くつもりはない。いまの自分は別の場所をさまよっている。古代の秘密が浮かびあがった場所を。忘れられた歴史が陰から姿を現した場所を。

ラングドンは水中を動くかのようにゆっくりと首をひねり、赤い靄《もや》の向こうにある〈モナ・リザ〉に目を凝らした。

フルール・ド・リス……フラワー・オブ・リザ……モナ・リザ。

シオン修道会とレオナルド・ダ・ヴィンチの奥深い秘密が、音なきシンフォニーとなって耳にこだました。

二マイルほど離れた廃兵院の近くの川岸では、大型トラックの運転手が銃口を向けられて当惑顔で立ちすくむかたわらで、司法警察の警部が憤怒《ふんぬ》のうなりを漏らしながら、セーヌ川の豊かな流れに石鹸《せっけん》を投げこんだ。

24

シラスはサン・シュルピス教会のオベリスクを見あげ、重厚な大理石の柱がそびえ立つさまを心に刻んだ。高揚感で筋肉がこわばるのが感じられる。もう一度見まわして、だれもいないのをたしかめた。それからオベリスクの基底部にひざまずいたが、敬意を表するためではなく、必要に迫られてのことだった。

キー・ストーンはローズ・ラインの下に隠されている。

サン・シュルピス教会のオベリスクの根もとに。

それが四人の一致した答だった。

シラスは膝《ひざ》を突き、両手を石の床に滑らせた。タイルをはずせそうな裂け目やしるしが見あたらないので、指の関節で床を軽く叩《たた》きはじめた。真鍮《しんちゅう》の線に接したタイルを、オベリスクへ向かってひとつずつ叩く。ついにそのうちの一枚が奇妙な音を立てた。

この下は空洞になっている！

シラスは笑みを浮かべた。四人が言ったことはほんとうだった。

立ちあがり、タイルを割るものを探して堂内を歩きだした。

はるか上方のバルコニーでは、シスター・サンドリーヌが息を殺していた。最悪の懸念が、たったいま現実のものとなった。あの訪問者は見かけどおりの人間ではなかった。怪しげなオプス・デイの修道僧がサン・シュルピス教会に現れたのは、ほかの目的があったからだ。

秘密の目的。

秘密をかかえているのはお互いさまだ、とシスターは思った。

シスター・サンドリーヌ・ビエイルは、この教会の単なる管理人ではない。監視役だった。そして今夜、古の歯車が動きだした。オベリスクのもとを新参者が訪れること自体が、同胞からの合図だった。

凶事を伝える無言の知らせだ。

25

パリのアメリカ大使館は、シャンゼリゼのすぐ北のガブリエル通りに面している。その三エーカーの敷地はアメリカ合衆国の領土と見なされ、そこに身を置くすべての者は、アメリカの法律と保護のもとにある。

大使館の夜勤の女性電話交換手が《タイム》誌の国際版を読んでいると、電話が鳴った。

「アメリカ大使館です」交換手は応じた。

「こんばんは」相手の声はフランス語訛《なま》りの英語だった。「ご協力を願いたいことがありまして」ことばはていねいだが、無愛想な役人口調だ。「そちらの自動伝言システムに、わたしあてのメッセージがはいっていると聞きました。名前はラングドン。あいにく三桁《けた》の暗証番号を忘れてしまいまして。なんとかしていただけると大変ありがたい」

交換手は不思議に思い、返答をためらった。「失礼ですが、そのメッセージはかなり前のものですね？　そういうシステムは安全対策のために、二年前に廃止されました。それに暗証番号はすべて五桁でした。メッセージがはいっていると、どなたからお聞きになったのですか」

「自動伝言システムがないと？」

「ありません。メッセージがあるとすれば、手書きのものをサービス課でお預かりしているはずです。もう一度お名前を」

だが電話は切られた。


ベズ・ファーシュは啞然《あぜん》としてセーヌ川の岸を歩いていた。ラングドンが市内番号を押してから三桁の番号を入力し、そのあと録音を聞くのをたしかにこの目で見た。大使館に電話をかけなかったのなら、どこへかけたというのか。

携帯電話を見つめたそのとき、答が自分の手に握られていることに気づいた。ラングドンはこの電話を使ったのだ。

携帯電話のメニュー画面を操作して送信履歴を引き出し、ラングドンがかけた番号を見つけた。

パリ局番の電話番号につづいて、三桁の番号４５４が表示された。

電話をかけなおし、呼び出し音を聞きながら待つ。

やがて女の声が聞こえた。「もしもし《ボンジュール》、こちらはソフィー・ヌヴーです《ヴーゼット・ビアン・シエ・ソフィー・ヌヴー》」録音された声が流れる。「ただいま外出しておりますが《ジュ・スイ・アプサント・プール・ル・モマン》……」

ファーシュは頭に血をのぼらせて、その番号を打ちこんだ。4……5……4。

26

〈モナ・リザ〉は絶大な名声を博しているが、実物の寸法は三十一インチ×二十一インチしかなく、ルーヴル美術館の売店にある複製ポスターよりも小さい。展示場所は〈国家の間〉の壁で、厚さ二インチのプレキシガラスに保護されている。ポプラ材の板に描かれたこの絵が靄に包まれたかのようなはかなさをたたえているのは、ダ・ヴィンチの創始したスフマートという技法の効果であり、これによって、隣り合ったものの境目がぼやけて見える。

ルーヴルに収蔵されて以来、〈モナ・リザ〉――フランス人のいう〈ラ・ジョコンド〉は二度盗難に遭った。二度目にあたる一九一一年には、侵入不可能と言われていた〈方形の間〉から姿を消した。パリじゅうの市民が嘆き悲しみ、犯人へ向けて返還を訴える記事が各紙に掲載された。二年後、フィレンツェにあるホテルの一室で、トランクの二重底に隠された〈モナ・リザ〉が発見された。

逃げるつもりがないとはっきり告げたラングドンは、ソフィーとともに〈国家の間〉を歩いていた。〈モナ・リザ〉まであと二十ヤードというところで、ソフィーがブラックライトを点灯した。小型のライトの投じる青白い光が前方の床に扇形にひろがる。ソフィーは光線を前後左右に揺らして掃海艇のごとく床を照らし、蛍光インクの痕跡《こんせき》を探した。

ソフィーと並んで歩きながら、ラングドンは偉大な美術品との久々の対面を期して、早くも胸が疼《うず》くのを感じた。ブラックライトが放つ紫がかった光の繭の向こうへ目を注ぐ。参観者のために置かれた八角形のソファーが左手に現れた。寄せ木張りの床が造る空虚な海に、薄暗い孤島が浮かんでいるかのようだ。

壁に取りつけられた黒っぽい板ガラスが見えてきた。その奥に、専用の囲いに包まれて、世界有数の名画が飾られているはずだ。

ラングドンの考えでは、〈モナ・リザ〉が世界一名高い絵画とされているのは、その謎めいた微笑のためではない。多数の美術史研究者や陰謀マニアによるわけありげな解釈のせいでもない。〈モナ・リザ〉が有名になったのは、ただ単に、レオナルド・ダ・ヴィンチが自身の最高傑作と評したからである。ダ・ヴィンチは旅に出るときもこれを手放さず、その理由を問われると、女性の美を最も気高く表現できた作品とは別れがたいと答えたという。

けれども研究者の多くは、ダ・ヴィンチが〈モナ・リザ〉を特別視したのは芸術としての完成度とは無関係だと考えている。実のところ、それはスフマートを用いた肖像画としては凡庸きわまりない。数々の学者が、ダ・ヴィンチの愛着にははるかに奥深い理由があると主張している。絵の具の層にメッセージが隠されているというのだ。それどころか、〈モナ・リザ〉は、いわば世界で最も研究の進んだ隠語の集積である。二重の意味合いや戯《たわむ》れた隠喩《いんゆ》を織り交ぜたものだと、美術史の専門書の大半に記されているにもかかわらず、いまなお一般にその微笑が大いなる謎だと考えられているのはおかしな話だ。

謎じゃない、とラングドンは思った。前へ進むにつれ、絵のおぼろげな輪郭が形をとりはじめた。謎など、どこにもない。

つい最近、ラングドンは〈モナ・リザ〉の秘密について、似つかわしいとは言えない集団――エセックス郡刑務所の十人余りの受刑者――に話をした。その講演は、刑務所制度へ教育を導入すること――ラングドンの同僚が好んで使う言い方を借りれば、〝囚人の教化〟――をめざす、ハーヴァード大学の地域奉仕活動の一環としておこなわれたものだった。

照明を落とした図書室でスライド映写機の脇に立ち、ラングドンは受刑者を相手に〈モナ・リザ〉の秘密を語り聞かせた。参加者は驚くほど熱心で、粗野ながら鋭かった。「見てのとおり」ラングドンは図書室の壁に映し出された〈モナ・リザ〉の画像に歩み寄った。「顔の背後の景色がずれていますね」明らかな食いちがいを手で示す。「ダ・ヴィンチは左側の地平線を右側よりずいぶん下に描いています」

「しくじったんだろ?」囚人のひとりが尋ねた。

ラングドンは苦笑した。「いや。そうそう失敗はしません。実を言うと、これはダ・ヴィンチの仕掛けたちょっとした細工です。左の風景をさげることで、右側より左側から見たほうがずっと大きく感じられる。ダ・ヴィンチがこっそり仕組んだいたずらですよ。昔から男女の概念はそれぞれ決まった位置と結びついていました——左が女性、右が男性です。ダ・ヴィンチは女性原理の信奉者だったので、左側の〈モナ・リザ〉のほうが立派に見えるようにしたわけです」

「やつはホモだったって聞いたことがある」山羊《やぎ》ひげを生やした小男が言った。

ラングドンはたじろいだ。「歴史学者は通常そういう言い方はしませんが、たしかにダ・ヴィンチは同性愛者でした」

「だから女に肩入れするって言いたいのか」

「いや、ダ・ヴィンチは両者の調和を求めたんです。人間に男女の区別があるかぎり、魂の啓蒙《けいもう》はなされないと信じていました」

「ペニスの生えた女ならいいってことだな」だれかが大声をあげた。

その発言は一同の笑いを誘った。〝両性具有〟ということばの語源や、ヘルメスやアフロディテとの関連について説明しようかとラングドンは考えたが、ここにいる聞き手には伝わらない気がした。

「なあ、ミスター・ラングフォード」筋骨たくましい大男が言った。「〈モナ・リザ〉は女装したダ・ヴィンチ自身だってのはほんとうかい。まちがいないって聞いたけど」

「その可能性はじゅうぶんあります」ラングドンは答えた。「ダ・ヴィンチはしゃれっ気のある人物でした。〈モナ・リザ〉とダ・ヴィンチの自画像とをコンピューターで解析すると、ふたつの顔には驚くべき類似点が認められます。ダ・ヴィンチの意図がなんであったにせよ、〈モナ・リザ〉は男性とも女性とも言いきれません。両性を備えたかのような微妙な趣があるんです。男女の融合というか」

「〈モナ・リザ〉が醜いオカマだってことを、ハーヴァード風にごまかして言っただけじゃないのか」

これにはラングドンも噴き出した。「そうかもしれません。しかし、ダ・ヴィンチはこの話を裏づける大きな手がかりを残しています。アモンというエジプトの神について聞いたことがある人はいますか」

「ある、ある！」大男が答えた。「男の豊饒《ほうじょう》神だ！」

ラングドンは面食らった。

「アモンのコンドームの箱にそう書いてあるさ」男はにやりと笑った。「羊の頭を持った男の絵が表《おもて》にあって、エジプトの豊饒神って説明がついてる」

耳慣れないブランド名だったが、コンドームの製造会社がヒエログリフを正しく引用しているのを聞いて、ラングドンは気をよくした。「おみごと。たしかにアモンは雄羊の頭を持った姿で表現されます。現代人の使う〝好色《ホーニー》〟という俗語は、アモンの相手を選ばない性行為や曲がった角《ホーン》と深いつながりがあるんです」

「嘘こけ」

「嘘じゃありません」ラングドンは言った。「では、これと対になる神はわかりますか。エジプトの豊饒の女神は？」

数秒の沈黙が流れた。

「イシスです」ラングドンはそう言って油性ペンを手にとった。「まずは男性の神、アモン」それを透明のシートに書く。「つぎに女神のイシス。その古い象形文字は〝リザ〟と呼ばれました」

書き終えて、プロジェクターから後ろへさがった。

AMON L' ISA

「おわかりですね」ラングドンは尋ねた。

「モナ《MONA》・リザ《LISA》……ほほう」うなり声があがった。

ラングドンはうなずいた。「〈モナ・リザ〉は男とも女ともつかない顔をしているうえに、名前も男女の神を合わせて並べ替えたものです。それこそがダ・ヴィンチのささやかな秘密であり、〈モナ・リザ〉がわけ知り顔の微笑を浮かべている理由なんですよ」

「祖父はここに来たようね」ソフィーがそう言って、いきなり床に膝《ひざ》を突いた。〈モナ・リザ〉まであと十フィート。寄せ木張りの床にできたしみのほうへ、ブラックライトをためらいがちに向けた。

はじめ、ラングドンには何も見えなかった。ソフィーのそばにひざまずくと、乾いた液体の粒が光を放っているのが目にはいった。インクか？　その瞬間、ブラックライトの本来の用途を思い出した。血だ。体じゅうの神経が張り詰める。ソフィーの言うとおり、ジャック・ソニエールは死ぬ前に〈モナ・リザ〉のもとを訪れていた。

「理由もなく来るはずがない」ソフィーはささやいて立ちあがった。「きっとわたし宛のメッセージを残してる」〈モナ・リザ〉へすばやく歩み寄り、絵の真下の床を照らした。寄せ木張りの床の上で、ライトを四方に振り動かす。

「何もないわ！」

そのとき、〈モナ・リザ〉の防護ガラスで薄紫の光がちらついたのを、ラングドンの目がとらえた。ソフィーの手首をつかみ、ライトをゆっくりと上方に移動させて絵の前で止めた。

ふたりは凍りついた。

ガラスに殴り書きされた六つの単語が、〈モナ・リザ〉の顔の前で紫色に輝いていた。

27

ソニエールの机の前で、コレ警部補は信じられない思いで受話器を耳に押しあてた。聞きちがえたのだろうか。「石鹸《せっけん》？　でも、ラングドンはなぜGPSの発信機に気づいたのですか」

「ソフィー・ヌヴーだよ」ファーシュが答えた。「あの女が話したんだ」

「なんですって！　理由は？」

「すばらしい質問だな。しかし、わたしもその証拠となる録音テープをたったいま聞いたところだ」

コレはことばを失った。ソフィー・ヌヴーは何を考えているのか。ほんとうに隠密《おんみつ》監視作戦を妨害したのだろうか。だとしたら、免職どころか刑務所行きだ。「しかし警部……ラングドンはいまどこに？」

「そちらの警報装置は作動したか」

「いいえ」

「つまり、グランド・ギャラリーから出た者はいないわけだな」

「ええ。ゲートにはルーヴルの警備員を待機させてあります。ご指示どおりに」

「それなら、ラングドンはまだグランド・ギャラリーにいるはずだ」

「ほんとうですか？　ここで何を？」

「その警備員は武器を携帯しているのか」

「はい。主任格の人間です」

「中へ踏みこませろ」ファーシュは命じた。「こっちの連中がもどるまでに数分かかる。そのあいだにラングドンを逃がしてはまずい。ヌヴーもおそらくいっしょにいるとその警備員に伝えてくれ」

「ヌヴー捜査官は帰ったと思いますが」

「出ていくのをその目で見たのか」

「いえ、しかし――」

「ヌヴーが出ていくところも、だれも目撃していない。見たのは来たときだけだ」

ソフィー・ヌヴーの無謀さにコレは驚いた。まだここにいるというのか。

「頼むぞ」ファーシュは言った。「わたしがもどるまで、ラングドンとヌヴーを絶対に逃がすな」

大型トラックが走り去ると、ファーシュ警部は部下を集合させた。ロバート・ラングドンはやすやすと捕まる相手ではない。ヌヴーを味方につけたのなら、追い詰めるのは予想よりはるかにむずかしい。

ファーシュは万全を期すべきだと考えた。

万一に備えて部下をふた手に分け、一方にはルーヴルへもどるよう指示した。そして残り半分を、ロバート・ラングドンが逃げこむ可能性のあるパリで唯一の場所へ送りこんだ。

28

〈国家の間〉で、ラングドンはプレキシガラスに光る六つの単語を驚嘆しつつ見つめた。それらは〈モナ・リザ〉の謎めいた微笑に複雑な影を投じて、宙に浮いているかのようだ。

SO DARK THE CON OF MAN

人の欺瞞《ぎまん》はかくも邪悪なり

「シオン修道会」ラングドンはつぶやいた。「これはまさに、ミスター・ソニエールがその会員だった証拠だ」

ソフィーがとまどいの目を向けた。「この意味がわかるの？」

「まちがいない」ラングドンは湧きあがる考えにうなずきながら言った。「組織の基本理念のひとつを示している」

走り書きの文字が〈モナ・リザ〉の顔の上で輝くかたわらで、ソフィーは困惑のていだった。

「ソフィー」ラングドンは言った。「シオン修道会に連綿とつづく女神崇拝の伝統は、初期キリスト教会の有力者たちが男性に有利に働く虚言を広めて女性を貶《おとし》め、世界を欺いたという考えに基づいているんだ」

ソフィーは無言のまま、文字を凝視していた。

「シオン修道会の考えによると、コンスタンティヌス帝とその後継者である男性の皇帝たちは、聖なる女性を公然とこきおろし、女神を永久に消し去ることで、母権的な異教社会から父権的なキリスト教社会への転換をなしとげたという」

ソフィーの顔には、相変わらずとまどいの色が浮かんでいる。「これを見せるために、祖父はわたしをここへ導いた。伝えようとしたのはその程度のことじゃないはずよ」

ラングドンは納得した。ソフィーはこれもまた暗号だと考えている。隠された意味があるかどうか、ラングドンには即断しかねた。ソニエールの遺《のこ》したメッセージは大胆かつ明快だ。

人の欺瞞はかくも邪悪なり。ほんとうにそのとおりだ。

混迷する今日の世界でキリスト教会が大きな救いとなっていることを否定できる者はいないが、教会の歴史が欺瞞と暴力に満ちているのもたしかだ。異教徒や聖女崇拝者を〝再教育〟するための容赦なき粛清運動は、三世紀にわたってつづいた。

カトリック教会の異端審問官が著したある書物は、人類史上最も血塗られた出版物と呼ぶべきものだ。『マレウス・マレフィカルム』、別名『魔女の鉄槌《てっつい》』は、〝自由な思想を持つ女の脅威〟を世に知らしめることや、そういう女たちを見つけ出し、拷問し、抹殺する方法を聖職者に説き明かすことを目的としていた。教会によって〝魔女〟と見なされたなかには、女性の学者、祭司、ジプシー、神秘主義者、自然崇拝者、薬草収集家、さらには〝自然界と一体化した疑いのある〟あらゆる女性が含まれた。助産婦も殺されたが、それは出産の苦しみを――教会の主張によれば、イヴが知恵の実を食べておのれに原罪をもたらしたのち、神が罰として与えた受難を――医療の知識によって和らげることが邪悪とされたからだ。魔女狩りがおこなわれた三百年のあいだに教会が焚刑《ふんけい》に処した女性の数は、実に五百万人に達する。

煽動《せんどう》と虐殺は効果をあげた。

今日の世界は、その生きた証拠である。

精神の啓蒙に欠かせない伴侶《はんりょ》としてかつて尊ばれた女性は、地球上のあらゆる聖所から追放された。正統派ユダヤ教のラビも、カトリックの司祭も、イスラム教の聖職者も、女性の例はなかった。かつて崇められていた聖婚《ヒエロス・ガモス》──互いの精神を昇華させるための男女間の自然な性交──は、恥ずべき行為と見なされた。神と語り合うために伴侶の女性との性的な交わりを必要としていた男性の聖職者は、ごくあたりまえの性欲を、悪魔とその腹心である女性の所業と見なして恐れるようになった。

教会による糾弾は、女性を〝左側〟と結びつける考えにまで及んだ。フランスとイタリアでは、左を表すことば──〝gauche〟と〝sinistra〟──がひどく否定的な意味合いを帯びはじめたのに対し、右は正義、機敏さ、正当性といった響きを持つに至った。今日では、急進的な思想が〝左翼《レフト・ウイング》〟、筋の通らない考えが〝左脳《レフト・ブレイン》〟と称され、〝sinister〟は〝不吉〟を意味するようになった。

女神の時代は終わった。振り子は大きく揺れた。母なる大地は男の世界に様変わりし、破壊と戦いの神々が多くの人命を奪いつづけた。男性は女性に脅かされることなく、二度の千年紀を支配した。こうして現代の生活から聖なる女性が一掃された結果、アメリカ先住民のホピ族が言うコヤニスカッティ――〝平衡が崩れた社会〟――がもたらされたとシオン修道会は考えていた。男性ホルモンのたぎる戦争や、女性への度を超した嫌悪や、母なる大地を軽んじる風潮が不安定な状況を形作っているというわけだ。

「ロバート！」ソフィーのささやき声がラングドンを物思いから引きもどした。「だれか来る！」

通路を近づいてくる足音が聞こえた。

「こっちへ来て！」ブラックライトが消え、ソフィーが突然目の前から蒸発した。

一瞬、まったく目が見えなくなった。どこだ！　しだいに視界が開けるなか、ソフィーの影が部屋の中央へ足早に進み、八角形のソファーの向こうに沈んだのがわかった。あとを追って駆け出そうとしたとき、大きな声がラングドンの足を凍りつかせた。

「止まれ《アレテ》！」入口から男の声が響いた。

ルーヴルの警備員が〈国家の間〉に現れ、拳銃《けんじゅう》を前へ突き出して、まっすぐこちらの胸にねらいを定めている。

ラングドンは自分の両腕がいつの間にか真上にあがったのを感じた。

「クシェ・ヴー！」警備員が言った。「床に伏せろ！」

ラングドンはすぐさま床にうつ伏せになった。警備員が駆け寄り、ラングドンの両脚を蹴《け》ってひろげさせた。

「あいにくだな《モヴェーズ・イデ》、ムシュー・ラングドン」背中に銃を強く押しつけて言う。「モヴェーズ・イデ」

大の字の状態で寄せ木張りの床にへばりついているうち、ラングドンは自分の姿勢からばかげたことを思いついた。〈ウィトルウィウス的人体図〉と同じだ。うつ伏せではあるが。

29

サン・シュルピス教会では、祭壇に置かれていた重い鉄製の燭台《しょくだい》をシラスがつかんで、オベリスクへ向かっていた。柄の部分を槌《つち》として使えるだろう。空洞とおぼしき場所を覆う灰色の大理石のタイルを見て、大きな音を立てずにこれを打ち破るのは無理だと悟った。

大理石と鉄。叩けばきっと丸天井に音が響きわたる。

シスターの耳にはいるだろうか。もう眠っているにちがいない。だとしても、なるべく危険は避けたい。鉄棒の端に巻きつける布を探したが、祭壇に敷かれた亜麻布しか見あたらなかった。神聖を穢《けが》してはならない。そのとき、おのれの法衣に思い至った。この広い教会に自分ひとりであるはずだから、ためらわず紐《ひも》をほどいて法衣を滑り落とした。背中の真新しい傷に木綿の繊維が貼りついていたため、脱ぐときに痛みが走った。

裸に腰布だけの姿になったシラスは、法衣で鉄棒の先を包んだ。それから、床のタイルの中心を棒で強く突いた。鈍い音。石は割れていない。もう一度振りおろした。

くぐもっていたものの、こんどは乾いた響きも混じっている。三度目にしてようやく板が割れ、石のかけらが床下のくぼみへ落ちた。

穴がある！

残った破片をすばやく取り除き、中をのぞいた。体が脈打つのを感じながらその前にひざまずく。青白い腕を伸ばして内部を探った。

はじめはなんの手応《てごた》えもなかった。穴の底はむき出しのなめらかな石でできている。ローズ・ラインの下へ手を突っこむと、何かにふれた。分厚い石板だ。指で輪郭をたしかめてからそれをつかみ、静かに持ちあげた。立ちあがって調べると、粗削りの石板に文字が刻まれているのがわかった。一瞬、自分が現代のモーゼになったかに思えた。

石板の文字を見て驚いた。キー・ストーンは地図であるか、複雑な道順が暗号の形か何かで記されたものだとばかり思っていた。ところが、板に刻まれていたのはこの上なく簡潔な銘文だった。

ヨブ　38　11

聖書の一節？　あまりの単純さにシラスは呆然《ぼうぜん》とした。探し求めていた秘密のありかは聖書のことばで語られるのか？　あの組織の非道ぶりには底がないのか！

ヨブ記。三十八章。十一節。

十一節の内容まで正確に覚えているわけではないが、ヨブ記は神を信じる男が度重なる試練を乗り越える話だったと記憶している。さもありなんとの思いに、シラスは興奮を抑えきれなかった。

背後を見やって、かすかに光るローズ・ラインを目でたどり、思わず笑みが漏れた。主祭壇には金箔《きんぱく》の施された書見台があり、大きな革装の聖書が開いた状態で置かれていた。

上方のバルコニーで、シスター・サンドリーヌが震えていた。ついさっき、この場を離れて任務を果たそうとしていたそのとき、眼下の男がやにわに法衣を脱いだ。雪花石膏《せっこう》のような肌を見て、シスターはひどく狼狽《ろうばい》した。青白く広い背中いっぱいに、赤い血の条痕《じょうこん》が刻まれている。この位置からでも、その傷の生々しさが見てとれる。

鞭《むち》でひどく打たれたのね！

太腿《ふともも》には血に染まったシリスが巻かれており、その下の傷から血がしたたっているのもわかった。あんなふうに肉体を痛めつけることを、どんな神が望むというのか？オプス・デイの儀式は自分にはとうてい理解できないと思った。けれども、いまはそんなことにかまっていられない。オプス・デイはキー・ストーンを探している。どんないきさつで嗅《か》ぎつけたかは想像もつかないが、それについて考える余裕もない。

傷だらけの修道僧は静かに法衣をまとい、戦利品を握ったまま、祭壇の聖書のあるあたりへと進んだ。

息詰まる静寂のなか、シスターはバルコニーを急いで離れ、廊下から宿所へ飛びこんだ。這いつくばってベッドの木枠の下へ手を伸ばし、何年も前に隠しておいた封書を取り出した。

それを破ってあけると、パリ局番の電話番号が四つ現れた。

シスター・サンドリーヌは身を震わせながら電話をかけはじめた。

階下では、シラスが祭壇に石板を置いて、逸《はや》る手で革装の聖書をめくっていた。ページを繰るうちに、白く長い指が汗ばむ。旧約聖書のページを調べ、ヨブ記に達した。三十八章を探しあてる。活字の列を下へと指でなぞりながら、どんなことばが飛び出すかと胸を躍らせた。

そのことばが自分を導いてくれる！

シラスは十一節を見つけて、その個所を読んだ。短い文だ。わけがわからずにもう一度読み、何か恐ろしいまちがいがあったことを悟った。そこにはただこう書かれていた。

ここまで来るはよいが、先へ進むべからず。

30

警備員のクロード・グルアールは湧きあがる怒りをこらえながら、〈モナ・リザ〉の前でひれ伏す相手を見おろした。こいつがジャック・ソニエールを殺したのか！自分にとっても警備班の一同にとっても、敬愛する父親も同然の人だったのに。

引き金を引いて相手の背中に一発撃ちこみたい。主任であるグルアールは、装弾した銃を携帯している数少ない警備員のひとりだった。けれども、いまこの男を殺すよりは、ベズ・ファーシュや収監施設に処遇をまかせるほうが大いなる屈辱を与えることができる。

グルアールはベルトから無線機を引き抜き、援軍を呼ぼうと試みた。聞こえたのは雑音だけだった。この部屋には警備用の電子機器が厳重に配されており、その影響でしじゅう交信が妨害される。部屋の外へ出なくては。ラングドンに銃を向けたまま、戸口へゆっくりあとずさった。三歩さがったところで何かが目に留まり、思わず足を止めた。

あれはなんだ！

おぼろな影が部屋の中央近くで形をとりはじめた。輪郭が浮かびあがる。ほかにも人がいるのだろうか。ひとりの女が闇のなかを早足で歩き、左側の奥の壁へ向かっている。色つきの懐中電灯で何かを探しているらしく、薄紫の光が前後左右に揺れている。

「だれだ《キ・エ・ラ》」グルアールは尋ねた。アドレナリンの高ぶりを感じたのは、この三十秒で二度目だ。どこへ銃を向けるべきか、どちらへ足を踏み出せばいいのか、急に迷いが生じた。

「PTSよ」ライトで床を調べながら、女が穏やかな口調で答えた。

PTS——技術科学警察か。汗がにじみはじめた。捜査官は全員去ったと思っていたのに。PTSだとしたらあの光は紫外線だろうが、こんなところで証拠探しをしているのはなぜだろう。

「あなたの名前は?《ヴォートル・ノム》」グルアールは大声で言った。何かがおかしいと直感が告げている。「答えてください!《レポンデ》」

「わたしよ《セ・モワ》」相手は落ち着いたことばを返した。「ソフィー・ヌヴー」

その名前はグルアールの心の片隅に記憶されていた。ソフィー・ヌヴー? ソニエールの孫娘の名前ではなかったか。子供のころにここへ来たことがあるが、ずいぶん前の話だ。ソフィー・ヌヴーであるはずがない！　それにもし当人だとしても、信頼に足る理由にはなるまい。ソニエールと孫娘は仲たがいをしたという噂を聞いたことがある。

「あなたはわたしを知ってるわね」女は呼びかけた。「ロバート・ラングドンは祖父を殺してはいない。信じて」

そんなことばを鵜呑《うの》みにするつもりはなかった。応援が必要だ！　もう一度無線を試したが、雑音が聞こえるだけだった。背後の出入口まではまだゆうに二十ヤードはある。グルアールは床の男に銃口を向けながら、少しずつ後退をはじめた。小刻みにさがりつつ、部屋の向こう側を見つめた。女は〈モナ・リザ〉の真向かいに掛けられた大きな絵をライトで調べている。

それがどの作品であるかに気づいて、グルアールは息を呑んだ。

いったい何をするつもりだ？

ソフィー・ヌヴーは額に冷たい汗がにじむのを感じていた。ラングドンはまだ大の字に伏せたままだ。待っていて、ロバート。もう少しよ。警備員が自分たちを撃つはずはないので、ソフィーは目下の問題に注意をもどし、ある名画の――ダ・ヴィンチの別の作品の――周囲をくまなく調べはじめた。だがブラックライトをあてても、特に変わったものは見つからない。床にも、壁にも、そして絵の表面にも。

ここに何かがあるはずよ！

祖父のメッセージを正しく読みとったとソフィーは確信していた。

ほかに考えられる？

目の前にあるのは高さ六フィート余りの油彩画だった。ダ・ヴィンチによる奇妙な絵図には、岩肌がむき出しになった危険な岩窟《がんくつ》を背景に、幼子イエスとそれをあやすぎこちない姿勢の聖母マリア、そして洗礼者ヨハネと大天使ウリエルが描かれている。子供のころ、〈モナ・リザ〉を観たあとはかならず、祖父は真向かいにあるこの絵の前へ自分を連れてきたものだ。

おじいちゃん、来たわよ。だけど、わからない！

無線で応援を求める警備員の声が、背後から聞こえた。

考えて！

ソフィーは〈モナ・リザ〉の防護ガラスに書き殴られた文字を思い出した。〝人の欺瞞《ぎまん》はかくも邪悪なり〟。こっちの絵には伝言を残せる防護ガラスがないし、祖父がこの名画に直接文字を書きつけるとも思えない。ソフィーは一考した。少なくとも、前面にはないはずだ。上方を見て、絵を支えるための長いケーブルに沿って天井まで視線を走らせた。

もしかして裏に？　彫刻の施された木製の額縁の左側を握り、手前に引いた。勢いをつけてこちらに揺さぶると、大きな絵の裏板がたわんだ。ソフィーは後ろにできた隙間に頭と肩を滑りこませ、ブラックライトをあてた。

ほんの数秒のうちに、直感がはずれていたと悟った。裏面には何も書かれていない。紫色の字もなく、古びたキャンバスの裏側はまだらに茶色くなっているばかりで――

待って。

ソフィーの目は場ちがいな輝きに釘《くぎ》づけになった。木枠の下の隅に、金属らしき小さな物体が引っかかっている。キャンバスと額縁の隙間に押しこまれ、かすかな光を放つ金色の鎖がそこから垂れさがっている。

何より驚いたことに、鎖についていたのは見覚えのある金色の鍵《かぎ》だった。握りの部分は幅広の十字にかたどられ、九歳のとき以来目にしていないあの紋章が刻まれていた。百合《ゆり》の紋章とP．S．という頭文字。その刹那《せつな》、祖父の亡霊が耳もとでささやいた気がした。時が来れば鍵はおまえのものになる、と。死に瀕《ひん》しても祖父が約束を守ったと知って、喉《のど》が締めつけられた。祖父の声が言った。ある箱の鍵だ。そこにたくさんの秘密を隠してあるんだよ。

今夜の謎解きはすべてこの鍵のためだったのだろう、とソフィーは悟った。死を迎えたとき、祖父はこれを持っていた。警察の手に渡るのをきらって、この絵の裏に隠した。そしてソフィーだけにわかるよう、巧妙な宝探しを企てたわけだ。

「応援を頼む《オー・スクール》！」警備員が大声をあげた。

ソフィーは急いで絵の裏から鍵を拾い、ブラックライトといっしょにポケットの奥へ滑りこませた。キャンバスの背後からのぞくと、警備員がだれかを呼び出そうと躍起になっている姿が見えた。銃をしっかりとラングドンに向けたまま、出入口へあとずさりしている。

「オー・スクール！」ふたたび無線機に向かって怒鳴った。

雑音ばかりだ。

つながらないんだわ。〈モナ・リザ〉の前にいることを観光客が携帯電話で自慢しようとしても、ここではつながらずに苛立《いらだ》つ場合が多いという話を思い出した。特別監視用の配線が壁に埋めこまれているため、通路まで出ないと電波が届かない。警備員は急速に出入口へ近づいている。ソフィーはすぐに行動しなくてはならないと思った。

絵の後ろから半身を乗り出して巨大な絵を見あげたとき、レオナルド・ダ・ヴィンチが今夜二度目となる救いの手を差し伸べているのに気づいた。

あと数メートル、とグルアールは銃を構えたまま心に言い聞かせた。

「止まりなさい《アレテ》！　さもないとこれを壊す《ウ・ジュ・ラ・デトリュイ》わよ！」女の声が部屋じゅうに響いた。

グルアールは声がしたほうをひと目見て、足を止めた。「何をする《モン・デュー》、やめろ《ノン》！」

女が大きな絵をケーブルからはずし、床に置いて盾にしているのが、赤い靄《もや》を通して見えた。高さ六フィート余りの油彩画が女のほぼ全身を隠している。なぜ警報が作動しなかったのかと驚いたが、そう言えば、今夜はまだ絵の仕掛け線のセンサーを解除したままだった。いったい何をするつもりなのか。

その答を目にして、全身の血が凍りついた。

キャンバスの中央がふくらみ、聖母マリアと幼子イエス、そして洗礼者ヨハネの繊細な輪郭がゆがみはじめた。

「ノン！」グルアールは叫んだ。途方もない価値を持ったダ・ヴィンチの絵が反っているのを見て、恐怖に体がすくんだ。絵の真ん中に、女の膝《ひざ》が裏側から食いこんでいる。「やめろ《ノン》！」

グルアールは体の向きを変えて女に銃を向けたものの、それがこけ脅しにすぎないとすぐに自覚した。キャンバスそのものはただの布でも、あれは絶対に突き通せない——六百万ドルの鎧《よろい》だ。

ダ・ヴィンチの作品に弾を撃ちこむことはできない！

「銃と無線機を置きなさい」女はフランス語で静かに言った。「そうしないと、わたしは膝でこの絵を突き破る。そんなことになったら祖父がどう思うか、あなたにはわかるはずよ」

グルアールはめまいを覚えた。「頼む……やめてくれ。それは〈岩窟の聖母〉だぞ！」拳銃《けんじゅう》と無線機を床に置き、両手をあげた。

「ありがとう」女は言った。「指示どおりにしてくれたら、すべてまるくおさまるわ」

ソフィーと並んで非常階段をおりるあいだ、ラングドンの心臓はなおも激しく脈打っていた。力なく体を震わせる警備員を残して〈国家の間〉を出てからというもの、ひとことも交わしていない。警備員の拳銃をしっかり握ってはいたが、早く手放したくてたまらなかった。その銃は重くて、まがまがしい違和感がある。

一段飛ばしで階段をおりながら、ふと疑問に思った。もう少しで台なしにするところだった絵がいかに価値のあるものかを、ソフィーは知っていたのだろうか。あの絵を選んだのは、気味が悪いほど今夜の奇妙な出来事にふさわしい。ソフィーが手にしたダ・ヴィンチの作品は、〈モナ・リザ〉に劣らず異教の象徴が数多く秘められているという点で、美術史研究家のあいだで名高いものだ。

「高価な盾を選んだものだな」ラングドンは足を止めずに言った。

「〈岩窟の聖母〉ね」ソフィーが答えた。「だけど、選んだのはわたしじゃなくて祖父よ。祖父は絵の裏にちょっとした贈り物を遺してくれた」

ラングドンは驚きの目を向けた。「なんだって！　でもどうしてあの絵だとわかったんだ。なぜ〈岩窟の聖母〉を？」

「人の欺瞞はかくも邪悪なり《So dark the con of man》」ソフィーは得意げな笑みを漂わせた。「わたしはふたつの暗号を解けなかったのよ、ロバート。〈岩窟の聖母〉――〝Madonna of the Rocks〟。三つ目をはずすわけにはいかないでしょう？」

31

「みんな亡くなりました！」シスター・サンドリーヌは、サン・シュルピス教会の自室の電話機に震える声で叫びかけた。留守番電話に伝言を託す。「お願いだから電話に出て！　みんな亡くなったの！」

リストに載っていた電話番号の三番目までは、恐ろしい結果に終わった――夫を失って半狂乱の妻、殺人現場に残っていた刑事、遺族の慰問に訪れた陰鬱《いんうつ》な神父。当の本人は三人とも死亡していた。そしていま、四番目にして最後の番号を――三人のだれもつかまえられない場合にのみ連絡するとされていた番号を――呼び出し、留守番電話に行きあたったのだ。録音装置の声は名前を告げず、ただ伝言を残すよう求めた。

「床板が割られました！」シスターは哀願の響きをこめて言った。「ほかの三人とも亡くなったのです！」

シスターは連絡先である四人の男の素性を知らず、ある状況に陥ったときにかぎって、ベッドの下に隠した秘密の電話番号を使う手筈になっていた。

身元を明かさない使者はかつてこう言った。あの床板が割られたとしたら、上層部の防御の壁が崩されたという意味だ。同胞のひとりが死の危機に瀕し、やむをえず嘘を教えたにちがいない。その場合はこれらの番号に電話をかけて、ほかの者たちに警告せよ。失敗は許されない。

これは沈黙の警報である。単純だからこそ確実な方法だ。はじめて聞かされたときはずいぶん驚いた。四人のうちひとりでも素性を知られたら、その人物が相手に嘘を教え、その嘘がきっかけとなってほかの同胞に危険が知らされる。しかし今夜の場合は、ひとりではなかったらしい。

「お願い、答えて」シスターは不安げにささやいた。「どこにいるの？」

「電話を切れ」戸口から低い声が聞こえた。

こわごわ振り向いた先に、巨漢の修道僧がいた。重そうな鉄製の燭台《しよくだい》を握っている。

シスターは震える手で受話器を受け台にもどした。

「死んだよ」修道僧は言った。「四人とも。口裏を合わせてだましたらしい。さあ、キー・ストーンのありかを教えろ」

「知りません！」シスターは本心から言った。「その秘密を守っているのはほかの人たちです」死んだ人たちだ！

修道僧は迫った。白いこぶしに鉄の燭台を握りしめている。「あなたはカトリックの尼僧でありながら、やつらに仕えていたのか」

「イエスの真の教えはただひとつ」シスターは毅然《きぜん》として言った。「オプス・デイにそれが伝えられているとは思えません」

修道僧の目の奥で、突然怒りの炎が燃えあがった。突進しながら、燭台を棍棒《こんぼう》がわりにして殴りかかる。崩れ落ちる瞬間、シスター・サンドリーヌが最後に感じたのは、抗《あらが》いようのない絶望感だった。

四人とも死んだ。

かけがえのない真実が永遠に失われた。

32

ドゥノン翼の西端で警報が鳴り、近くのチュイルリー庭園にいたハトが四方へ散ると同時に、ラングドンとソフィーは建物からパリの夜へと駆け出した。ソフィーの車へ向かう途中、パトカーのサイレンが遠くで響くのが聞こえた。

「あれよ」ソフィーが言って、獅子《しし》っ鼻を持つ赤いふたり乗りの車を指さした。

冗談を言ってるのか？　ラングドンはこんな小さな車をいままで見たことがなかった。

「スマートカーよ」ソフィーは言った。「リッター百キロ走るわ」

ラングドンが助手席に飛び乗るなり、ソフィーはスマートカーを急発進させ、縁石を越えて砂利敷きの分離帯に乗りあげた。ダッシュボードをつかむラングドンをよそに、車はそのまま歩道を横切り、体勢を立てなおしてカルーゼル広場の小さなロータリーにさしかかった。

一瞬、ソフィーの考えが読めた気がした。このまままっすぐロータリーを突っ切り、中央にある生け垣から大きな円状の芝生の真ん中を通って、近道をするつもりにちがいない。

「だめだ！」ラングドンは叫んだ。カルーゼル広場の生け垣の向こうには、危険な落とし穴がある。逆さピラミッド——さっき館内から見た、ピラミッドを逆さにした形の天窓のことだが、あの大きさならこのスマートカーなどひと呑《の》みだろう。さいわい、ソフィーは少しだけましな道を選んだ。強引にハンドルを右に切ったのち、ロータリーに沿って左へ切り返し、北行きの車線にどうにか乗ってリヴォリ通りへと加速した。

単調なサイレンの音が大きく背後に迫り、サイドミラーにはパトカーのライトが映っている。スマートカーのエンジンは、ソフィーが駆り立てるたびに抗議のうなりをあげる。五十ヤード先で、リヴォリ通りの信号が赤に変わった。ソフィーは小声で悪態をついたが、減速しなかった。ラングドンは筋肉がこわばるのを感じた。

「ソフィー？」

ソフィーはヘッドライトを点灯させてすばやく左右を確認するや、またしてもアクセルを踏みこんで左に急ハンドルを切り、往来のない交差点からリヴォリ通りへはいった。四分の一マイルほど西へ向かって加速したあと、ゆるやかなロータリーを左へ曲がった。まもなくシャンゼリゼの大通りが見えるはずだ。

直線道路にはいると、ラングドンは座席で身をよじり、首を伸ばして後ろの窓からルーヴルを見た。追っ手が来る気配はない。青い光芒《こうぼう》はルーヴルに密集している。ようやく動悸《どうき》がおさまり、ラングドンは周囲を見まわした。「なかなかのものだったな」

ソフィーには聞こえていないらしい。前方へ長く伸びるシャンゼリゼの大通りに視線を据えている。二マイルにわたって豪奢《ごうしゃ》な店が並ぶこの通りは、パリの五番街とよく呼ばれる。大使館まであと少し。ラングドンは座席に体を沈めた。

So dark the con of man
Madonna of the Rocks

ソフィーが見せた頭のひらめきはすばらしい。

先刻ソフィーは、ソニエールが絵の裏に何かを残したと言った。最後のメッセージだろうか？　みごとな隠し場所だと驚嘆するのみだ。今夜の一連の象徴には関連性があり、〈岩窟《がんくつ》の聖母〉もそこにぴったりあてはまる。ひとつひとつ見せられるたびに、レオナルド・ダ・ヴィンチの暗く謎めいた一面への強い思いをソニェールが伝えている気がしてならない。

そもそもダ・ヴィンチに〈岩窟の聖母〉の制作を委託したのは無原罪懐胎教徒会として知られる教団で、ミラノのサン・フランチェスコ・グランデ聖堂の祭壇を飾る三連画の中央の絵を求めていた。尼僧たちが寸法を指示し、題材についての希望を伝えたという。聖母マリア、幼き洗礼者ヨハネ、大天使ウリエル、そして幼子イエスが洞窟に身をひそめるさまを描いてくれという要求に対し、ダ・ヴィンチはそのとおりに事を進めたが、作品をおさめると、教団は猛然と反発した。いたるところに、論議を招きかねない不穏な表現がちりばめられていたからだ。

その絵には、青い外衣をまとった聖母マリアが、イエスとおぼしき幼子を腕に抱く姿が描かれていた。マリアの向かいにウリエルが座し、そのそばにもうひとり子供がいるが、こちらは洗礼者ヨハネだと思われる。ふつうはイエスがヨハネに祝福を与えるものだが、奇妙なことに、ここではヨハネのほうがイエスに祝福を与え、しかもイエスはそれを押しいただいてさえいる。さらに問題なのは、マリアが幼いヨハネの頭上に片手をかざして、どう見ても威嚇の姿勢を示している点だ――ワシの鉤爪《かぎづめ》のようなマリアの指が、目に見えぬ頭を握っている。そして最も恐ろしいのは、マリアの曲がった指の真下で、ウリエルが手で何かを切るしぐさ――マリアの鉤爪につかまれた目に見えぬ頭部を、喉もとあたりで掻《か》き切るしぐさである。

教団の怒りを静めるために、ダ・ヴィンチが型どおりに人物を配置した〝手抜き〟の〈岩窟の聖母〉をあらためて描いたという事実を知ると、学生たちはいつもおもしろがる。現在、その二枚目の絵はロンドンのナショナル・ギャラリーに展示されているが、ラングドンが気に入っているのはルーヴルにあるもとの絵のほうだ。

猛スピードでシャンゼリゼ通りを飛ばすソフィーに、ラングドンは尋ねた。「さっきの絵だが、裏になんと書いてあった？」

ソフィーは前方を見据えていた。「無事に大使館に着いたら見せるわ」

「見せる？」ラングドンは意外に思った。「物が置いてあったのかい」

ソフィーはそっけなくうなずいた。「百合の紋章とP．S．の頭文字が刻まれてる」

ラングドンは自分の耳が信じられなかった。

もうじきだわ。ソフィーはスマートカーのハンドルを右に切り、豪華なホテル・ド・クリヨンの前をかすめて、並木道のかたわらに外交施設が並ぶ一帯へはいった。まもなく大使館だ。ようやくふつうに呼吸ができるようになった気がした。

車を走らせるあいだも、ポケットに忍ばせた鍵《かぎ》のことがずっと気がかりだった。はるか昔にそれを見たときの記憶——縦横の長さが等しい十字形をした金色の握り、三角柱の差しこみ部分、無数の小さな穴、花の紋章の浮き彫り、そしてP．S．という頭文字。

この鍵のことをもう何年もほとんど思い出さなかったとはいえ、捜査機関での仕事を通してセキュリティに関する多くの知識を得たいま、そこに施された独特の細工はもはや不可思議なものではなくなっていた。レーザーで変化をつけた金属板は、複製を作ることができない。歯がタンブラーをまわす仕組みではなく、レーザーであけられた小さな穴の複雑な組み合わせを、電子センサーが読みとる。六角形の穴が正しい間隔で正しい形に配置されていると認められれば、錠が開く。

こんな鍵で何をあけるのか、自分には見当もつかないけれど、ロバートなら教えてくれそうな気がした。なんと言っても、実物を見もせずに浮き彫りの模様を言いあてたのだから。先端の十字を見るかぎり、キリスト教の一派のものに思えるが、レーザーで細工を施した鍵を使う教派など聞いたことがない。

それに、祖父はキリスト教徒ではなかった……

その証拠をソフィーは十年前に目撃した。皮肉にも、祖父の真の姿をさらけ出したのは、別の鍵——なんの変哲もない鍵——だった。

そのあたたかい午後、ソフィーはシャルル・ド・ゴール空港に到着して、タクシーで自宅へ向かった。顔を合わせたら祖父はびっくりするだろうと思った。大学院が予定より数日早く春休みにはいり、イギリスから帰国したソフィーは、一刻も早く祖父に会って、研究中の暗号化技術について語り聞かせたかった。

ところが、パリの自宅に着いても祖父の姿はなかった。がっかりはしたものの、祖父が自分を待っているはずもなく、ルーヴルで仕事をしているのだろうと考えた。けれども、いまは土曜の午後だ。祖父は週末にほとんど仕事をしない。週末はたいてい——

思わず顔をほころばせ、ソフィーは車庫へと駆け出した。案の定、祖父の車はなかった。そう、週末だ。祖父は街なかで運転するのをきらい、ある場所へ行くためだけに車を所有していた——目的地はパリの北、ノルマンディーにある別荘だ。ロンドンの喧騒《けんそう》のなかで数か月過ごしたソフィーは、自然のにおいが恋しくて、すぐにも田舎でくつろぎたかった。まだ夕方の早い時刻なので、即座に出発して祖父を驚かせようと決め、友人の車を借りて北へ向かった。曲がりくねった道を進み、クルーリーにほど近い、月明かりに照らされた静かな丘陵地帯に達した。十時を少しまわったころ、祖父の隠れ家へとつづく長い私道に乗り入れた。その道は一マイル以上あり、中ほどまで進んだところで、木の間越しに屋敷が見えはじめた。丘の斜面に建つ、木立に包まれた巨大な石造りの古城だ。

この時刻では祖父はもう寝ているのではないかと半ば覚悟していただけに、屋敷の明かりを見て胸が躍った。ところが、私道いっぱいに車が停められているのに気づき、喜びが驚きに変わった――メルセデス、BMW、アウディ、ロールス・ロイス。

ソフィーはしばしその光景に見入ったが、すぐに笑いだした。とんでもない世捨て人ね！　どうやら祖父の世離れた暮らしは見せかけだけのものらしい。孫娘が留学で不在の隙に、パーティーを主催するなんて。そのうえ、ここに並ぶ車を見るかぎり、参加しているのはパリの名だたるお歴々にちがいない。

祖父をびっくりさせたい思いを胸に、ソフィーは足早に正面玄関へ向かった。しかし、扉には錠がおりていた。ノックをしたが、返事がない。とまどいながらも、建物の脇をまわって、裏口があくかを試してみた。そちらも鍵がかかっていた。やはり返事がない。

途方に暮れ、一瞬立ちつくして耳を澄ませた。聞こえるのは、ノルマンディーの冷たい風が渓谷を吹き抜けて発する低いうなりだけだ。

音楽もない。

人の声もない。

皆無だ。

木深い静寂のなか、ソフィーは屋敷の横手へ急ぎ、薪《まき》の山をよじのぼって居間の窓に顔を押しつけた。目にはいったのは、まったく不可解な光景だった。

「だれもいない！」

一階のどこにも人影がなかった。

みんなはどこにいるの？

心臓を高鳴らせつつ薪小屋へ走り、祖父の隠し場である焚《た》きつけの箱の下から合い鍵を取り出した。そして正面玄関へ引き返し、中へと進んだ。閑散とした玄関広間に足を踏み入れたとき、防犯システムのパネルが赤く点滅しはじめた——入室者が十秒以内に正しい暗証番号を入力しないと、警報が鳴る。

パーティーの最中なのに防犯装置を切ってないの？

ソフィーはすばやく暗証番号を入力して、システムを解除した。

部屋にはいったときから、屋敷全体に人気《ひとけ》がないのが感じとれた。二階を調べたが同じだった。階段をおりて、がらんとした居間にもどり、沈黙に身を包まれたまま、いったい何が起こっているのかと考えた。

そのとき、それが聞こえた。

くぐもった声。どうやら足もとから響いているらしい。思いも寄らなかったことだ。しゃがんで耳を床につけ、注意深く聞いた。そう、まちがいなく地下からだ。歌声か、あるいは……何かを唱えているのか？　ソフィーはこわくなった。音以上に不気味だったのは、この家に地下室があるという事実だ。少なくとも、自分は一度も見たことがない。

振り向いて居間を調べるうちに、唯一いつもとはちがう場所に置かれたものが目に留まった——祖父の気に入りの骨董品《こっとう》である、オービュソン織りのタペストリーだ。ふだんは東側の壁にある暖炉のそばに飾られているのに、今夜は真鍮《しんちゅう》の棒に掛かったまま脇に寄せられ、背後の壁があらわになっている。

むき出しになった板張りの壁へ近づくにつれ、詠唱の声が大きくなるのがわかった。ためらいながらも壁に耳を寄せた。さっきよりはっきり聞こえる。まちがいなく、だれかが唱えている……わけのわからない祈りのことばを。

壁の向こうに空洞がある！

壁板の輪郭を手で探り、くぼみを見つけた。精巧に作られていて、引き戸がある。胸の動悸《どうき》を感じながらくぼみに指を掛け、力を加えた。重い壁が音もなく正確に横へ滑った。暗闇の奥から声が響いてくる。

大きく開いた戸口をすり抜けると、足もとには粗削りの石段があり、螺旋《らせん》状に下へつづいていた。この家には子供のころから何度も来ているのに、こんな階段があることさえ知らなかった。

階段をおりるにつれ、空気がひんやりしてきた。声がしだいに明瞭《めいりょう》になり、男女の聞き分けができる。階段が螺旋状であるせいで見通しが悪いものの、いちばん下の段を視界にとらえた。その先に地下室の床の一部が見える――揺らめくオレンジ色の灯火に照らされた石の床だ。

息を殺してさらに何段かおり、かがんで様子をうかがった。目に映った光景を理解するのに数秒かかった。

そこは洞窟だった――山腹の花崗《かこう》岩をくりぬいただけの簡素な空間だ。明かりは壁に並ぶたいまつしかない。輝く炎に照らされて、三十人ほどの人々が部屋の中央に立ち、輪を作っている。

これは夢だわ、とソフィーは自分に言い聞かせた。夢よ。ほんとうのはずがないでしょう？

全員が仮面をつけていた。女は白い薄手のローブと金色の靴といういでたちだ。その仮面は白く、手には金色の球を持っている。男は黒い長衣《チュニカ》をまとい、仮面も黒い。

さながら巨大なチェス盤の駒だ。輪をなす人々が前後に体を揺らし、中央の床にある何かを崇《あが》めることばを唱えている……ソフィーからは中央にあるものが見えなかった。詠唱の声が力強くなった。速さが増す。すさまじい音量だ。さらに速まる。参加者たちが一歩前へ歩み出てひざまずいた。その瞬間、ついにソフィーは一同の見守っているものの正体を知った。嫌悪にあとずさりしながらも、その光景が永久《とこしえ》に脳裏に焼きついたのを悟った。吐き気に襲われたソフィーは、身をひるがえし、石壁につかまって階段をよじのぼった。ドアを閉めて、ひっそり閑とした屋敷をあとにし、悲しみに呆然としてパリへ車を走らせた。

その晩、ソフィーは幻滅と裏切りに心を打ちのめされたまま、荷物をまとめて家を出た。食堂のテーブルにメモを残して。

あそこへ行ったわ。わたしを探さないで。

そしてメモの横に、別荘の薪小屋から持ってきた古い合い鍵を添えた。

「ソフィー！」ラングドンの声が割りこんだ。「止まれ。止まるんだ！」

追憶から引きもどされて、ソフィーが強くブレーキを踏むと、車は横滑りして止まった。「何？　どうしたの？」

ラングドンが眼前に伸びる通りを指さした。

それを見てソフィーの血の気が引いた。司法警察のパトカー数台が斜めに停車して道をふさいでいる。目的はわかりきっている。ガブリエル通りを封鎖したにちがいない。

ラングドンは大きなため息をついた。「今夜の大使館は立ち入り禁止らしいな」

司法警察の警官ふたりが車の脇に立ち、こちらをじっと見つめている。突然ヘッドライトが消えたのを不審に思っていることだろう。

だいじょうぶ、ゆっくり方向転換するのよ。

車をバックさせ、落ち着いて三点ターンを決めて、もと来た道を引き返した。遠ざかるあいだに、背後でタイヤがきしむ音が聞こえた。サイレンが鳴りはじめた。

悪態をつきながら、ソフィーはアクセルを思いきり踏みこんだ。

ソフィーのスマートカーは脇道を出て右へ折り返し、シャンゼリゼの大通りにもどった。

ラングドンは助手席で手に汗を握りながら、後ろを振り向いて、警察の気配がないかと観察した。逃げなければよかった、と急に後悔の念がこみあげた。いま思えば、決めたのは自分ではない。ソフィーがトイレの窓からGPSの発信機を投げ捨てたときに、退路を断たれてしまった。大使館から離れ、往来のまばらなシャンゼリゼ通りを急速に進むにつれ、ラングドンは八方ふさがりになるのを感じた。どうやら当面は警察の追跡をかわせたようだが、こんな幸運が長つづきするとは思えない。

運転席のソフィーがセーターのポケットを探った。小さな金属の物体を取り出して、こちらへ渡す。「ロバート、あなたも見て。祖父が〈岩窟《がんくつ》の聖母〉の裏に残したものよ」

期待に体が震えるのを感じながら、ラングドンはそれを受けとって観察した。ずしりと重く、形は十字架に似ている。とっさに墓場の杭《くい》を——地面に打ちこむ墓標のミ

33

ニチュアを――想像した。だがすぐに、十字の握りから伸びた軸の部分がプリズム状の三角柱であることに気づいた。側面に無数の小さな六角形の穴が刻まれている。細工は精巧で、不規則に配置されているらしい。

「レーザーで処理した鍵《かぎ》よ」ソフィーが言った。「この六角形をセンサーが読みとるの」

鍵だって？　ラングドンはこんなものを見たことがなかった。

「裏側を見て」ソフィーは車線を変更し、交差点を通り過ぎた。

鍵を裏返して、ラングドンは自分の顎《あご》が落ちるのを感じた。十字の中心に、P.S.の頭文字と百合《ゆり》の紋章が精巧に浮き彫りにされている。「ソフィー、これが例の紋章だ！　シオン修道会の定紋だよ」

ソフィーはうなずいた。「さっきも話したとおり、わたしはずっと前にこの鍵を見た。祖父はけっして口外してはいけないと言ったわ」

ラングドンの目は鍵に釘づけになっていた。最先端の技術による細工と古来の象徴とが、新旧の時代の不思議な一体感を醸し出している。

「祖父によると、これはある箱の鍵で、そこには多くの秘密が隠されてるということだった」

ジャック・ソニエールほどの人間がどんな秘密を隠したかを想像して、ラングドンは身震いを覚えた。古《いにしえ》の結社が最新鋭の鍵を使って何をするつもりだろう。シオン修道会はある秘密を守るためだけに存在したという。途方もない力を持った秘密だ。この鍵はその秘密と関係があるのだろうか。あるにちがいない。「なんの鍵か知ってるのかい」

ソフィーは落胆の表情を浮かべた。「あなたならわかるんじゃないかと思ったんだけど」

ラングドンは何も言わず、手に持った鍵をひっくり返して調べた。

「キリスト教なんでしょうね」ソフィーがさらに言った。

ラングドンには、そう言いきる自信がなかった。鍵の握りの部分はキリスト教でよく見られる伝統的な縦長の十字ではなく、四本の腕がみな同じ長さの十字であり、キリスト教より千五百年ほど長い歴史を持つ。古代ローマで拷問の道具として登場した縦長のラテン十字が磔《はりつけ》を連想させるのに対し、このたぐいの十字――正十字――にはそうした含意がない。象徴として十字架を仰ぐキリスト教徒のほとんどは〝十字架《クルシフィクス》〟という語の由来が血塗られた過去にあることを知らず、ラングドンはそれをつねづね意外に思っていた。〝十字《クロス》〟や〝十字架《クルシフィクス》〟の語源は、ラテン語の動詞〝クルキアレ

（拷問する）〟にある。

「ソフィー」ラングドンは言った。「わたしが言えるのは、こんなふうに腕の長さが等しいものは平和な十字だということだけだ。二本の長さが同じだから磔に使うには不向きであり、縦と横の調和のとれた形が男女の自然な結合を意味している。象徴学的に見ても、シオン修道会の理念と一致する」

ソフィーはもどかしげにラングドンを見た。「あなたにもわからないのね」

ラングドンは渋い顔をした。「さっぱりだ」

「とにかく、まずはどこかに落ち着かなくちゃ」ソフィーはバックミラーをのぞいた。「なんの鍵かを突き止めるには安全な場所が必要だわ」

ラングドンはホテル・リッツの快適な部屋を恋しく思った。それはどう考えても問題外の選択だ。「アメリカン大学パリ校の世話役のところはどうだろう」

「見え見えよ。ファーシュが調べるに決まってる」

「きみの知り合いはどうかな。地元の人間なんだから」

「ファーシュはわたしの電話とEメールの記録を調べたり、同僚たちに尋ねてまわったりするはずよ。こちらから連絡をとるのは危険だし、ホテルを探すのは身分証明書が必要だから無理ね」

またもやラングドンは、ルーヴルで逮捕されたほうがましだったかもしれないと思った。「大使館に電話しよう。事情を説明して、どこかで落ち合う段取りをつければいい」

「落ち合う？」ソフィーは横を向き、正気なのかと問いたげな目でラングドンを見た。「甘いわ、ロバート。アメリカ大使館の権限が及ぶのは敷地のなかだけよ。人をよこしてわたしたちを助けたりしたら、フランス政府に追われている人物の逃亡を幇助《ほうじょ》したと見なされる。とうてい無理ね。大使館に駆けこんで一時的な保護を求めるのは可能だけど、外へ出てフランスの法執行機関とやり合ってくれと頼むなんて。いま大使館に電話をしても、無茶をやめてファーシュのもとに出頭しろって言われるのが落ちよ。そうすれば、しかるべき外交手続きを踏んで公正な裁判を受けられるようにすると約束するでしょうね」シャンゼリゼに並ぶ瀟洒《しょうしゃ》な店に目をやる。「現金をいくら持ってる？」

ラングドンは財布の中身をたしかめた。「百ドル。それに、ユーロが少しだ。なぜそんなことを？」

「クレジットカードは？」

「もちろんある」

ソフィーが車を加速させるのを見て、何か考えがあるのだろうとラングドンは察した。シャンゼリゼ通りの突きあたりには、凱旋門《がいせんもん》――ナポレオンが自軍の優秀さを讃《たた》えるために設けた高さ百六十四フィートの建造物――がそびえ立ち、そのまわりをフランス最大のロータリー――九本の車線を持つ巨獣《ビヒモス》――が囲んでいる。

ソフィーはバックミラーをふたたび確認しながら、ロータリーへ近づいた。「さしあたり追っ手をかわしたけれど、この車じゃ五分ともたないわ」

どのみちもう犯罪者なのだから、別の車を盗みでもしたらどうか。ラングドンは考えをめぐらせた。「どうするつもりだ」

ソフィーはロータリーに突進した。「わたしを信じて」

ラングドンは返事をしなかった。信じたせいで、今夜はろくな目に遭っていない。上着の袖《そで》を引いて、腕時計を見た――十歳の誕生日に両親から贈られた、コレクター用限定版のミッキー・マウスの時計だ。子供じみた文字盤が好奇の視線を浴びることも多いが、これまでほかの時計を持った経験がない。形と色の魔法をはじめて体験させてくれたのがディズニーのアニメーションであり、いまもミッキーのおかげで毎日心を若く保てる。ところが、いまのミッキーの腕はとんでもない角度によじれ、これまたとんでもない時刻を告げていた。

午前二時五十一分。

「変わった時計ね」ソフィーはラングドンの手もとをちらりと見て、大きなロータリーに沿って反時計まわりにスマートカーを駆った。

「話せば長くなる」ラングドンはそう言って、袖をもとにもどした。

「なんとなく想像がつくわ」ソフィーはさっと笑みを浮かべ、ロータリーを出て、街の中心から北へ向かった。かろうじて青信号で交差点をふたつ抜けたあと、三つ目で右に急ハンドルを切ってマルゼルブ通りを進んだ。外交機関の集まる木深く華やかな一角を離れ、薄暗い工業地帯にすでにはいっている。突然左へ折れて少し行ったところで、ラングドンはいまどこにいるのかを理解した。

サン・ラザール駅。

前方に見えるガラス屋根の駅舎は、飛行機の格納庫と温室とを掛け合わせて造ったかのようだ。ヨーロッパの鉄道駅は眠らない。この時間でも、中央口の近くで半ダースのタクシーが客待ちをしている。サンドイッチやミネラル・ウォーターの屋台があるかと思えば、バックパックを背負った薄汚い若者が目をこすりながら駅から出てきて、いまどの街にいるのかを思い出そうとでもするようにあたりを見まわしている。

通りの先に目を移すと、歩道の片隅で、ふたりの警察官が道に迷った観光客の案内をしていた。

ソフィーはスマートカーをタクシーの列の後ろにつけ、通りの向こう側に正規の駐車場が山ほどあるにもかかわらず、禁止区域に車を停めた。どうするつもりかを尋ねる隙を与えず、ソフィーは車をおりた。すぐ前に停まっているタクシーの窓へと急ぎ、運転手に何やら話しはじめた。

ラングドンがスマートカーからおりたとき、ソフィーがタクシーの運転手に何枚もの紙幣を手渡したのが見えた。運転手は首を縦に振り、驚いたことに、だれも乗せずに走り去った。

「どうしたんだ」タクシーが見えなくなると、ラングドンはソフィーに駆け寄って訊《き》いた。

ソフィーはすでに駅の入口へ向かっていた。「行きましょう。パリから出るつぎの列車の切符を二枚買うのよ」

ラングドンはあわててソフィーに並んだ。アメリカ大使館までの一マイル競走だったはずが、いまやパリからの大脱走だ。そう考えると、いっそう気が重くなった。

34

レオナルド・ダ・ヴィンチ国際空港でアリンガローサ司教を迎えたのは、小型で目立たないフィアットの黒いセダンだった。かつてはヴァチカンの公用車がどれも大型の豪華車で、ラジエーターグリルに専用のナンバープレートをつけ、教皇庁の紋章の描かれた旗を飾っていたことをアリンガローサは思い出した。そんな日々は過去のものだ。公用車からは仰々しさが消え、めったに標章を掲げなくなった。各教区に奉仕すべく経費を削減するためだとヴァチカンは主張するが、警備対策の意味合いが強いのではないかとアリンガローサは思っている。世界が正気を失ったいま、ヨーロッパの多くの地域において、イエス・キリストへの愛を誇示する行為は車のルーフに標的を描くに等しい。

黒い法衣に身を包んだアリンガローサは、後部座席に乗りこむと、カステル・ガンドルフォまでの長丁場に備えてゆったりと腰かけた。五か月前にも同じ道のりを経験していた。

アリンガローサはため息をついた。去年のローマへの旅は、生涯で最も長い夜だった。

　五か月前、ヴァチカンから電話を受け、すぐにローマへ来るよう求められた。いっさい説明はなく、切符は空港にあるとだけ告げられた。高位の聖職者に対してさえ、教皇庁は秘密のベールを脱ごうとしなかった。

　オプス・デイの最近の社会的成功――ニューヨーク市に本部ビルが完成した一件――に便乗すべく、マスコミへの露出を企てているのだろう、とアリンガローサは推測していた。《アーキテクチュラル・ダイジェスト》誌はオプス・デイの本部ビルを〝現代的な景観と鮮やかな調和を見せる、カトリックの輝ける灯台〟と評しており、近ごろのヴァチカンは〝現代的〟と呼ばれるあらゆるものに興味を示す向きがある。

　気が進まなくとも、ヴァチカンに招かれたら応じざるをえなかった。アリンガローサは現教皇の体制を強く支持しているわけではなく、大半の慎重派の聖職者たちと同様、就任一年目の教皇の仕事ぶりを大きな関心をもって見守っていた。かつてないほどの急進派である現教皇は、ヴァチカン史上最も紛糾した異例のコンクラーベを通じて選出された。教皇は思いがけずその座を得たことに気後れするどころか、時を移さずして、キリスト教世界の最高職としての力を見せつけた。枢機卿《すうききょう》会内部にひろがる急進派支持の流れに乗じ、いまや教皇は、みずからの使命が〝ヴァチカンの教理の若返りと、第三千年紀に向けたカトリック教会の革新〟だと公言している。

言い換えれば、神の法を変えうると信じるほど尊大な人物とも言える、とアリンガローサは危惧《きぐ》していた。カトリック教会の求めるものが現代社会にそぐわないなどと考える連中に迎合しているだけではないのか。

これまでアリンガローサは、持てる政治力をすべて使って――オプス・デイの会員と財源の規模を考えればかなりの労力を投じて――教皇とその顧問に働きかけ、教会の戒律をゆるめるのは不信心であるばかりか、政治的に見ても自殺行為だと主張してきた。第二ヴァチカン公会議による緩和路線がもたらした惨憺《さんたん》たる遺産を思い出させもした。会衆の数は過去最低となり、寄付金は枯渇し、各教会をおさめる司祭にさえ事欠いているのが現実だ。

人々に必要なのは教会による統制と指導であり、甘やかしたり機嫌をとったりすることではない、とアリンガローサは力説したものだ。

五か月前のあの晩、フィアットが空港からヴァチカン市国へではなく、曲がりくねった山道を東へ向かっているのに気づき、アリンガローサは驚いた。「どこへ行くんだ」

「アルバーニ丘陵ですよ」運転手が答えた。「会合はカステル・ガンドルフォでおこなわれます」

教皇の夏の別荘で？　アリンガローサはそこを訪れたことがなかったし、そう望んだこともなかった。その十六世紀の城砦《じょうさい》は、教皇が避暑に使う離宮であるとともに、スペクラ・ヴァティカーナ――ヴァチカン天文台――を備えてもいた。ヨーロッパでも一、二を争う最新の天体観測所だ。中途半端に科学に手を出そうとしてきたヴァチカンの姿勢を、アリンガローサは快く思っていなかった。科学と信仰の融合になんの意味があるのか。神への信仰をいだく者が偏りなく科学を修められるはずがないし、逆に、信仰にはいかなる物質的な裏づけも必要ない。

とはいえ、現実はままならぬものだ。思いを噛《か》みしめていたとき、十一月の星空にそびえ立つカステル・ガンドルフォが視界にはいった。それは、巨大な石の怪物が飛びおり自殺を考えているさまを連想させた。崖《がけ》のふちに建つその城は、イタリア文明発祥の地――ローマ帝国が成立する前にクリアティウス家とホラティウス家が長い戦いを繰りひろげた渓谷――を覆うかのようにせり出していた。

輪郭だけであっても、ガンドルフォの眺望は一見に値した――重層的で守りの堅い建造物の好例で、絶壁という地の利をみごとに生かしている。アリンガローサはむなしい思いで城を見た。ヴァチカンは屋根の上にアルミニウム製の巨大な観測ドームをふたつ載せることで、かつては威厳に満ちていたこの建物を、パーティーハットを並べてかぶった得意げな戦士のごとき珍妙な姿に変えていた。

アリンガローサが車をおりるや、イエズス会の若い司祭が駆け寄って挨拶《あいさつ》をした。

「ようこそ、司教。マンガーノ神父と申します。専属の天文学者です」

そいつはけっこうだ。アリンガローサは返事をつぶやき、その男のあとについて玄関広間へ進んだ。広々とした空間には、ルネッサンスの芸術と天文学の映像をごちゃ混ぜにした、品性に欠ける装飾が施されている。案内役につづいて、トラバーチンの大理石でできた広い階段をのぼる途中、会議室や科学講演用ホールや見学案内サービスの標示が目に留まった。ヴァチカンは宗教の発展に関して一貫性のある指針を示せずにいるのに、どういうわけか観光客相手に天文学の講演をおこなう時間ならあるらしい。

「教えてくれ」アリンガローサは若い司祭に言った。「本末転倒したのはいつのことかね」

司祭はいぶかしげな目を向けた。「はい？」

アリンガローサは手ぶりで相手を制し、今夜はもう攻撃するまいと心に決めた。ヴァチカンは理性を失ってしまった。断固たる態度で物事のよしあしを説くよりも、子供を甘やかしてわがままを黙認するほうが楽だと考えるだらしのない親と同じで、教会は事あるごとに態度を軟化し、文化の堕落に合わせてみずからを変えようとしている。

最上階の通路は幅が広く贅沢《ぜいたく》な造りで、ただひとつの方向へ――真鍮《しんちゅう》の標示板がついたオーク材の大きな扉へとつづいていた。

天文図書室《ビブリオテカ・アストロノミカ》

このヴァチカン天文図書室には二万五千冊を超える書物がおさめられ、コペルニクス、ガリレオ、ケプラー、ニュートン、セッキなどの貴重な著作も含まれていると聞いたことがある。また、教皇の側近がここで内密の会合をおこなうという噂もある……ヴァチカン市国の城壁内で開くには都合の悪い会合に使うわけだ。

扉に歩み寄ったときには、これから衝撃的な知らせを聞くことになろうとは、そしてそれを機につぎつぎと恐ろしい出来事が起ころうとは、夢にも思わなかった。一時間後、会合を終えておぼつかない足どりで部屋から出てはじめて、事の重大さが身にしみた。あと六か月、とアリンガローサは思った。神よ、お救いください！

そしていま、フィアットのなかにいるアリンガローサは、その会合のことを思い起こすだけでこぶしに力がはいるのを感じた。手の力をゆるめ、つとめてゆっくりと息を吸いこんで、筋肉の緊張を解いた。

何もかもうまくいく。車が蛇行しながら山道をのぼるあいだ、アリンガローサは自分にそう言い聞かせた。それでもやはり、携帯電話が鳴らないのが不安だった。導師はなぜ電話をかけてこないのだろう。シラスはもうキー・ストーンを手に入れたはずなのに。

気を静めるべく、指輪の紫のアメジストに思いをめぐらせた。司教冠と杖《つえ》の彫り物をなぞり、ダイヤモンドのカット面の手ざわりをたしかめながら、アリンガローサはあらためて思った。この指輪が象徴するよりもはるかに大きな力が、まもなく自分のものになるであろうことを。

35

サン・ラザール駅の構内の様子は、ヨーロッパにあるほかの駅舎と特に変わらなかった。大きく口をあけた出入りの自由な空間のところどころに、怪しげな人物が見受けられる。ボール紙で作った看板を掲げるホームレス。バックパックを枕に眠ったり、携帯用のMP3プレーヤーに聴き入ったりしている大学生。青い制服を着たポーターが集まって煙草を吸っている姿も見える。

ソフィーが巨大な発車案内板を見あげた。情報が更新されるたびに、白黒のパネルが動いて表示が入れ替わる。更新が終わり、ラングドンは最新の情報を確認した。いちばん上の段にこう記されている。

リール行き――急行――三時六分。

「もっと早いのがあればいいんだけど」ソフィーが言った。「でも、そのリール行きしかないわね」

もっと早い？　腕時計は二時五十九分を指している。発車まであと七分なのに、まだ切符を買ってさえいない。

ソフィーは切符売り場へとラングドンを促した。「あなたのクレジットカードで切符を二枚買って」

「クレジットカードを使ったら、追跡される可能性があるんじゃ――」

「そのとおりよ」

ソフィーにすべてまかせよう、とラングドンは腹を決めた。ビザ・カードを使ってリール行きの二等席の切符を二枚買い、ソフィーに手渡した。

ソフィーはラングドンをプラットホームのほうへ導いた。聞き慣れたチャイムの音が頭上で響き、リール行きへの乗車を急《せ》かす最後のアナウンスが流れている。目の前に十六本の線路が伸びている。右のかなたを見ると、三番線に停まったリール行きの列車が出発に備えてうなりを立てていたが、ソフィーはすでにラングドンの腕をつかんで、正反対の方角へ歩きはじめていた。ふたりは足早にロビーを抜け、終夜営業のカフェの前を過ぎたあと、側面のドアを通って、駅の西側の静かな通りに出た。

出口のそばで、一台のタクシーがアイドリングをしている。

運転手がソフィーを見つけて、ライトを点滅させた。

ソフィーは後部座席に飛び乗った。ラングドンもつづいた。

タクシーが駅から遠ざかると、ソフィーは買ったばかりの切符を取り出して、二枚とも破った。

ラングドンはため息をついた。七十ドルが水の泡だ。

クリシー通りを北へ向かって静かに進んでいくうち、ようやく逃げきれた気がしてきた。右手の窓から、モンマルトルの丘と美しいサクレ・クール寺院のドームが見える。そこへやにわにパトカーの閃光《せんこう》が現れ、反対車線を通り過ぎた。

サイレンが聞こえなくなるまで、ラングドンとソフィーは首をすくめていた。

ソフィーはまだタクシーの運転手に、街から出てくれとしか告げていない。その固く結んだ口もとから察するに、つぎの手を考え出そうとしているらしい。

ラングドンはもう一度十字形の鍵《かぎ》を窓にかざし、作られた場所を示す手がかりがないかと目に近づけて調べた。規則的に車内へ差しこむ街灯の明かりを頼りに観察したが、シオン修道会の紋章以外にこれといったしるしは見つからない。

「腑《ふ》に落ちないな」やがてラングドンは言った。

「何が？」

「どう扱ったらいいかわからない鍵を、ミスター・ソニエールがあえてきみに預けたことさ」

「それはそうね」

「絵の裏に何も書かれていなかったというのはたしかなんだな」

「隅々まで調べたわ。あったのはほんとうにこの鍵だけ。絵の裏に留められていたの。紋章が見えたからポケットに入れて、すぐにあの場を離れた」

ラングドンは眉根《まゆね》を寄せ、こんどは三角柱の軸のまるみを帯びた先端を凝視した。変わったところはない。目を細めて鍵を顔に近づけ、握り部分のふちをたしかめた。やはり何もない。「この鍵は最近洗浄されたんじゃないかな」

「どうして？」

「消毒アルコールみたいなにおいがする」

ソフィーが向きなおった。「なんのにおいですって？」

「洗浄剤で磨かれたようなにおいがするんだ」ラングドンは鍵を鼻先に運んだ。「裏のほうが強くにおう」鍵をひっくり返す。「やっぱり、アルコール・ベースのものだ。洗浄剤か、あるいは――」そこで口をつぐんだ。

「なんなの？」

ラングドンはもう一度鍵を光にかざし、十字の太い腕の部分のなめらかな表面をながめた。ところどころがかすかに輝き、濡《ぬ》れているように見える。「ポケットにしまう前に裏をよく調べたかい」

「あまり見てないわ。急いでたから」

ラングドンはソフィーに顔を向けた。「まだブラックライトを持ってる？」

ソフィーはポケットに手を伸ばして、ペンライトを取り出した。ラングドンはそれを受けとってスイッチを入れ、鍵の裏面を照らした。

その瞬間、光がちらついた。そこに文字が浮かびあがる。あわてて書かれたものだが、読みやすい筆跡だった。

「ほら」ラングドンは微笑んで言った。「アルコールのにおいと来れば、これに決まってるさ」

ソフィーは鍵の裏面に現れた紫色の文字を、驚きの目で見つめた。

24　RUE　HAXO

アクソー通り二四番地！　祖父は場所を書き留めていた！

「どこにある通りかな」ラングドンは尋ねた。

ソフィーにもわからなかった。前を向いて身を乗り出し、興奮した口調で運転手に尋ねた。「アクソー通りを知っていますか？《コネセ・ヴー・ラ・リュー・アクソー》」

運転手はしばらく考えたのち、うなずいた。パリの西のはずれにあるテニス競技場の近くだという。ソフィーはすぐ行ってくれと頼んだ。

「ブーローニュの森を突っ切るのがいちばんの早道だが」運転手はフランス語で答えた。「それでいいかね」

ソフィーは眉をひそめた。もっとまともな道もあるはずだが、今夜は選《え》り好みをしていられない。「いいわ《ウィ》」アメリカからのお客さまを驚かすことになるけれど。

ソフィーは鍵へ視線をもどして考えた。アクソー通り二四番地には何が待ち受けているのだろう。教会？　それとも、修道会の本部？

十年前に地下の洞窟で目にした秘密の儀式の光景がまたしても脳裏にひろがり、ソフィーは長いため息をついた。「ロバート、あなたに話したいことがたくさんあるの」そこでことばを切り、ラングドンを見据えた。タクシーは一路西へと進んでいる。

「でもその前に、シオン修道会について、あなたが知っていることを残らず教えて」

36

〈国家の間〉の外では、警備員のグルアールがふたりに逃げられたいきさつを語るのを聞きながら、ベズ・ファーシュが苛立ちを募らせていた。そのありがたい絵を撃てばよかったじゃないか！

「警部」司令室の方向からコレ警部補が駆けてきた。「警部、たったいま情報がはいりました。ヌヴー捜査官の車が見つかったそうです」

「大使館へ逃げこんだのか」

「いいえ。駅です。切符を二枚購入しています。発車したばかりだということです」

ファーシュは手ぶりでグルアールを追い払ってから、コレを近くの壁際へ連れていき、声を落として話しかけた。「行き先は？」

「リールです」

「たぶん罠《わな》だろう」ファーシュは息を吐き、考えをまとめた。「よし、念のためつぎの駅に連絡し、その列車を止めて捜索しよう。乗り捨てた車は動かさず、私服の監視をつける。やつらがもどってくるかもしれないからな。徒歩で逃走した場合に備えて、駅の周辺を何人かに調べさせろ。駅から出るバスは？」

「この時間は動いていません。タクシーが待っているだけです」

「わかった。運転手に聞きこみをして、目撃情報を集めろ。それから、タクシー会社の配車係にふたりの特徴を伝えてくれ。わたしはインターポールに連絡する」

コレは驚いた顔をした。「この一件を公にするおつもりですか」

ファーシュも厄介なことになるのを懸念していたが、ほかに道はなかった。

網をすばやく閉じ、けっしてゆるめてはならない。

最初が肝心だ。逃げ出した直後の逃亡者の行動を予測するのはたやすい。連中が望むものは同じだ。移動手段。ねぐら。そして現金。いわば三位一体だ。インターポールはこの三つすべてを瞬時にして断つ力を持っている。逃亡者の写真を、パリじゅうの旅行代理店やホテルや銀行にファクシミリでばらまけば、相手は完全に自由を奪われる。街を出ることも、身を隠すことも、金を引きおろすこともままならない。そうなるとたいてい街なかでパニックに陥り、愚かな行動に走るものだ。車を盗む。店を襲う。やけになって銀行のカードを使う。どんな失策を犯そうと、居所は即座に地方当局の知るところとなる。

「ラングドンだけですね」コレは言った。「ソフィー・ヌヴーは指名手配しないんでしょう？　身内の人間ですから」

「当然ヌヴーもだ！」ファーシュは怒鳴った。「ヌヴーがかわりに動けるとしたら、ラングドンひとりを手配してもなんの意味もない。これからヌヴーの資料を調べるつもりだ。友人、家族、知人――助けを求める可能性のある相手全部を洗い出す。どういうつもりか知らないが、ヌヴーは免職どころではすまないぞ」

「わたしは電話で指示を出せばいいですか。それとも現場へ出向いたほうが？」

「現場だ。駅へ行って、捜索班をまとめてくれ。きみが指揮していいが、行動を起こすときはかならずわたしに報告するように」

「了解しました」コレは走り去った。

ファーシュはそのまま壁際で身を硬くしていた。窓の外でガラスのピラミッドが輝き、吹きさらしの池に映って小刻みに揺れている。まさか逃げられるなんて、と思いながらも、落ち着けと心に言い聞かせた。

百戦錬磨の捜査官でさえ、インターポールが乗り出してくる重圧には耐えがたいものだ。

女の暗号解読官と大学教授？

夜明けまでには片がつくだろう。

37

ブーローニュの森として知られる鬱蒼《うっそう》とした森林公園にはいくつもの呼び名があるが、パリの同性愛者のあいだでは〝快楽の園〟で通っている。甘美な響きがあるものの、その意味がまるでちがうことは、ヒエロニムス・ボスの描いた同名の毒々しい絵を見た経験があれば納得できるだろう。その作品は陰鬱かつグロテスクで、そこに描かれた奇形の生き物と倒錯者の煉獄《れんごく》こそブーローニュの森そのものだと言える。夜になると、曲がりくねった小道には、心の奥底に秘めた欲望を満たすべく、快楽と報酬を求める無数の艶《なま》めく肉体が並ぶ――男も、女も、そして中間に位置するさまざまな者たちも。

シオン修道会についてどう説明すべきかとラングドンが考えを整理しているうち、タクシーは木々の茂る入口を通過し、丸石敷きの道を西へ進んでいった。公園の夜の住人が暗がりからひとりふたりと姿を見せ、ヘッドライトの光に各自の持ち物を見せびらかすので、気が散ってたまらなかった。前方で、トップレス姿の十代の娘ふたりが挑発的な目をこちらへ向けている。さらに進むと、バタフライをつけた黒人の男が酔って腰をくねらせるのが見えた。その横では、鮮やかな金髪の女がミニスカートをめくりあげ、実は女ではないと主張している。

勘弁してくれ！　ラングドンは車内に視線をもどし、深く息をついた。

「シオン修道会のことを話して」ソフィーが言った。

ラングドンはうなずいた。これから話す伝説ほど意見の割れる題材はないだろう。どこからはじめるべきか迷った。その組織の歴史は千年以上に及ぶ壮大な年代記であり、秘密や恐喝や裏切り、そして怒れる教皇による残忍な拷問までもが綴《つづ》られている。

「シオン修道会は」ラングドンは切り出した。「一〇九九年、十字軍の指揮官だったゴドフロワ・ド・ブイヨンというフランス人によって、エルサレムで創設された。かの地を征服してまもなくの話だ」

ソフィーはラングドンを見据えたままうなずいた。

「伝えられるところによると、ゴドフロワは強大な秘密をかかえていたという――キリストの時代から一族が守ってきた秘密だ。自分が死んでそれが失われることを懸念したゴドフロワは、その秘密を代々受け継がせるための友愛組織をひそかに設立した。それがシオン修道会だよ。やがて修道会は、ソロモン王の神殿跡に建てられたヘロデ王の神殿の廃墟《はいきょ》に、ある文書が隠されているという話を聞きつけた。彼らの考えでは、その文書はゴドフロワの伝えた秘密の正しさを裏づけており、その絶大な影響力ゆえに、教会が是が非でも手に入れようとしているものだった」

ソフィーは半信半疑の面持ちだった。

「何年かかろうとその秘密文書を神殿の瓦礫《がれき》のなかから見つけ出し、真実の証《あかし》として永遠に守り抜くことを、シオン修道会は誓った。そして、廃墟から文書を取りもどすために、武装集団を組織した。九人の騎士からなる〝キリストとソロモン神殿の清貧騎士団〟というものだ」ラングドンは間を置いた。「〝テンプル騎士団〟という呼び名のほうが有名だがね」

聞き覚えのある名前を耳にして、ソフィーは驚きの視線を返した。

テンプル騎士団についてラングドンがこれまで何度か講演をおこなってきた経験から言えば、その名は漠然とではあれ、世の大半の人々に知られている。学術的には、テンプル騎士団の歴史は論拠に乏しいもので、史実と伝承と誤った情報がからみ合い、真実のみを抜き出すのはほとんど不可能だと言われている。この話題にふれれば厄介な質問攻めからさまざまな陰謀理論へと飛躍するのが確実だったから、最近では講義の折にテンプル騎士団の名を口にすることさえためらわれた。

ソフィーはすでに当惑顔に変わっている。「テンプル騎士団は秘密文書を取りもどすためにシオン修道会によって設立されたというの？　聖地を守るために組織されたものだと思ってたけど」

「よくある誤解だよ。巡礼者の保護は、騎士団が任務を遂行するための隠れ蓑《みの》だった。聖地でのほんとうの目的は廃墟から文書を見つけることだった」

「で、見つかったの？」

　ラングドンは笑みを漂わせた。「たしかなことはわからないが、研究者の意見が一致していることがひとつある。騎士団は廃墟から何かを見つけ、その結果、計り知れないほどの富と権力を手に入れた」

　ラングドンはテンプル騎士団の歴史について、一般に研究者に認められている筋書きを手短に話した。騎士団は第二回十字軍のあいだ聖地にとどまり、エルサレムの王であるボードワン二世に対して、巡礼路のキリスト教徒を警護する役を買って出たという。報酬を求めず清貧の誓いを立てる一方で、騎士団は最低限の庇護《ひご》を依頼し、神殿跡の廃墟に居を定める許可を求めた。ボードワン二世はそれを聞き入れ、騎士団は荒れ果てた寺院のなかに質素な住まいを構えた。

　妙な場所にも思えるが、これはけっして気まぐれな選択ではない、とラングドンはさらに説明した。騎士団はシオン修道会の探し求める文書が廃墟の地下深くに――神が住むと信じられていた至聖所、すなわちまさにユダヤ教の信仰の中心に――埋もれているると考えていた。九人の騎士は十年近くそこに暮らし、硬い岩の山をひそかに掘りつづけた。

ソフィーがこちらを見つめた。「そして、何かを見つけたのね?」

「その可能性は高い」ラングドンは騎士団が九年をかけて探し物を見つけ出したいきさつを語った。神殿からそれを掘り出したのち、ヨーロッパへ渡った騎士団は、一夜にして不動の地位を得たと言われている。

騎士団がヴァチカンを恐喝したり、教会が騎士団の沈黙を金で買おうとしたりという事実は確認されていないものの、ローマ教皇インノケンティウス二世はかつて例を見ない内容の大勅書をただちに発布している。その勅書とは、テンプル騎士団を〝法そのもの〟と規定して無限の権力を与え、宗教的にも政治的にも、王や高位聖職者の介入をいっさい受けない独立した自治組織と認めるものだった。

ヴァチカンのお墨付きを得て、テンプル騎士団は人数においても政治力においても破竹の勢いで成長し、十を超える国々に広大な地所を蓄えた。金銭的に破綻《はたん》した王族に金を貸して利子をとるようになり、結果として近代の銀行業の基礎を築くとともに、富と影響力をさらに拡大した。

十四世紀になると、騎士団の力が肥大化しすぎたため、当時の教皇クレメンス五世はなんらかの策を打ち出す腹を決めた。フランス国王フィリップ四世の手を借りた教皇は、テンプル騎士団を叩《たた》きつぶし、財宝を奪って秘密をヴァチカンの手中におさめるための、CIA顔負けの策略を企てた。教皇は命令を記した極秘の教書を発行し、ヨーロッパ全土の軍勢に対して、一三〇七年十月十三日の金曜日にいっせいに開封するよう働きかけた。

十三日の未明、各地で教書の封印が解かれ、恐ろしい内容が明らかになった。それは、神が教皇の前に姿を現して警告を発したというものだった。神のお告げによると、テンプル騎士団が悪魔崇拝、同性愛嗜好《しこう》、十字架の冒瀆《ぼうとく》、異常性行為など、さまざまな穢《けが》らわしい行為によって異端の罪を犯しているという。そして、地上を浄《きよ》めるために、騎士をひとり残らず捕まえて、罪を告白するまで責め苦を与えよと神が命じた、とも記されていた。クレメンス五世による巧妙な作戦は、時計仕掛けの精密さで実行された。その日のうちに無数の騎士が捕らえられて残忍な拷問を受け、やがて異端者として火あぶりの刑に処せられた。この惨事は現代の文化にも余韻を残しており、十三日の金曜日はいまなお不吉だと考えられている。

ソフィーは混乱しているふうだった。「テンプル騎士団は全滅したの？　いまも残党がいると思ってたんだけど」

「さまざまに名前を変えて残ってるよ。クレメンス五世の強硬な弾圧と壊滅作戦は強烈だったけれど、騎士団には有力な支持者がいたので、一部の者はどうにか追及を免れた。騎士団の力の源と思われる秘密文書こそが、クレメンス五世のほんとうの標的だったんだが、結局それは手にはいらなかった。文書ははるか以前に、騎士団の陰の創設者であるシオン修道会の手に委《ゆだ》ねられていて、その秘密主義のベールはヴァチカンの猛襲さえも寄せつけなかったわけだ。追及の手が迫ると、修道会はパリにあった領有地から闇にまぎれて文書を持ち出し、ラ・ロシェルの港で騎士団の船に載せたという」

「文書はどこへ行ったの？」

ラングドンは肩をすくめた。「答を知ってるのはシオン修道会だけだ。その文書はいまも変わらず調査や憶測の対象になっていて、これまでに何度か隠し場所が変えられたと言われている。現在はイギリスのどこかにあるという説が有力だ」

ソフィーは落ち着かなげな顔をしていた。

「千年にわたって」ラングドンはつづけた。「この秘密にまつわるさまざまな伝説が伝えられてきた。やがて、文書とその力や秘密が、合わせてひとつの名前で呼ばれるようになった。それが〝サングリアル〟だ。サングリアルに関しては無数の書物が著されている。これほどまで歴史家の興味を掻《か》き立てつづけた謎はほとんどないだろう」

「サングリアル《Sangreal》？　フランス語の〝サン《sang》〟とかスペイン語の〝サングレ《sangre》〟と関係があるのかしら。両方とも〝血〟という意味だけど」

　ラングドンはうなずいた。血はサングリアルと深い結びつきがあるが、ソフィーの想像している関係とはおそらくちがう。「これはこみ入った伝説なんだが、何より大事なのは、シオン修道会がその証拠を守りつつ、真実を明らかにする時機を待ちつづけていると言われていることだ」

「どんな真実を？　それほど大きな力を持つ秘密って何かしら」

　ラングドンは深く息をつき、闇から怪しげな視線を投げかけてくるパリの裏社会に目をやった。「サングリアルというのは昔のことばだ。長いあいだに変化して、いまは別の言い方になっている……もっと現代的な呼び名にね」そこで間をとった。「いまの呼び名を聞けば、きみもよく知ってるものだと納得するさ。サングリアルにまつわる話は、たぶんだれもが聞いたことがあるはずだ」

　ソフィーは信じていない様子だった。「わたしは一度もないわ」

「いや、あるさ」ラングドンは微笑んだ。「〝聖杯〟という呼び名のほうが耳慣れているだけだ」

（中巻につづく）

本書は二〇〇四年五月、小社より刊行された単行本を文庫化したものです。

ダ・ヴィンチ・コード（上）

ダン・ブラウン

越前《えちぜん》敏《とし》弥《や》＝訳

角川文庫 14157

平成十八年三月十日　初版発行

発行者――田口恵司

発行所――株式会社角川書店

東京都千代田区富士見二―十三―三

電話　編集（〇三）三二三八―八五五五

　　　営業（〇三）三二三八―八五二一

〒一〇二―八一七七

振替〇〇一三〇―九―一九五二〇八

印刷所――旭印刷　製本所――本間製本

装幀者――杉浦康平

落丁・乱丁本はご面倒でも小社受注センター読者係にお送りください。送料は小社負担でお取り替えいたします。

定価はカバーに明記してあります。

Printed in Japan

フ 33-1　ISBN4-04-295503-7　C0197

角川文庫発刊に際して

角川源義

第二次世界大戦の敗北は、軍事力の敗北であった以上に、私たちの若い文化力の敗退であった。私たちの文化が戦争に対して如何に無力であり、単なるあだ花に過ぎなかったかを、私たちは身を以て体験し痛感した。西洋近代文化の摂取にとって、明治以後八十年の歳月は決して短かすぎたとは言えない。にもかかわらず、近代文化の伝統を確立し、自由な批判と柔軟な良識に富む文化層として自らを形成することに私たちは失敗して来た。そしてこれは、各層への文化の普及滲透を任務とする出版人の責任でもあった。

一九四五年以来、私たちは再び振出しに戻り、第一歩から踏み出すことを余儀なくされた。これは大きな不幸ではあるが、反面、これまでの混沌・未熟・歪曲の中にあった我が国の文化に秩序と確たる基礎を齎らすためには絶好の機会でもある。角川書店は、このような祖国の文化的危機にあたり、微力をも顧みず再建の礎石たるべき抱負と決意とをもって出発したが、ここに創立以来の念願を果すべく角川文庫を発刊する。これまで刊行されたあらゆる全集叢書文庫類の長所と短所とを検討し、古今東西の不朽の典籍を、良心的編集のもとに、廉価に、そして書架にふさわしい美本として、多くのひとびとに提供しようとする。しかし私たちは徒らに百科全書的な知識のジレッタントを作ることを目的とせず、あくまで祖国の文化に秩序と再建への道を示し、この文庫を角川書店の栄ある事業として、今後永久に継続発展せしめ、学芸と教養との殿堂として大成せんことを期したい。多くの読書子の愛情ある忠言と支持とによって、この希望と抱負とを完遂せしめられんことを願う。

一九四九年五月三日

ダン・ブラウン好評既刊 単行本

絵画とともに、
謎を解く旅へ――

ダ・ヴィンチ・コード

ヴィジュアル愛蔵版

ダン・ブラウン
越前敏弥＝訳

作中でふんだんに登場する美術作品や建築物、場所や象徴など約140点を収録。
小説の世界により深く接するための、豪華カラー版!

ISBN 4-04-791507-6